KB104138

운수좋은 날의 만선

발 행 | 2024-07-18

저 자 | 최영환

펴낸이 | 한건희

펴낸곳 | 주식회사 부크크

출판사등록 | 2014.07.15(제2014-16호)

주 소 | 서울 금천구 가산디지털1로 119, A동 305호

전 화 | 1670 - 8316

이메일 | info@bookk.co.kr

ISBN | 979-11-410-9522-2

www.bookk.co.kr

운수 좋은 날의 만선

최영환 지음

목 차

인생은 낚시터

제1화 어항 속의 금붕어

제2화 횟집 앞 수족관

제3화 스승 강태공과 만남

제4화 민물낚시

제5화 바다낚시

제6화 양식장

빈 낚싯대

<인생은 낚시터>

나는 억수로 운이 좋은 놈이었다. 한때는 어항 속의 금붕어처럼, 때로는 횟집 앞 수족관의 생선처럼 빨갛게 녹슨 바닥만 바라봤다. 하지만, 강태공 스승을 만나고, '때를 기다리면 좋은 날'도 올 것이라는 그의 말이 등대의 초록 불빛으로 다가왔다.

'1만 시간의 법칙', '노력만이 살길이다'라고 말하는 자들 그리고 '지하 밑에 지하가 있다'라고 떠드는 자들을 볼 때면, 죽은 자식 불알을 만지고 있는 듯하다. 나는 그런 가치관을 지닌 자들과 상종하지 않는다. 세상은 운칠기삼 그 이상 그 이하도 아니다.

인간사 다 허망하지만, 분명한 것은 나락으로 내려가면 앞으로 올라갈 일만 남았다는 것이다. 내리막길이 멀리 보면 오르막길이 되기도 하고, 비극 같은 인생이 희극이 될 수도 있다. 그런 날이 나에게도 불현듯 찾아왔다. 하나씩 잡히던 생선이 덩굴째 굴러들어왔고, 한층 무거워진 선박은 거침없이 파도를 헤치고 육지로 행했다.

대한민국에서는 개인투자자를 차곡차곡 곡식을 모아 배를 불리는 것과 같다며 개미라고 부르고, 해외에서는 David and Goliath이라 칭한다. 그렇다면, 나도 개미였을까?　아니다. 낚싯줄에 끌려온 생선이였으려나?

적어도 한때는 3초마다 기억을 까먹는 금붕어였다.

선장님과 만남으로 비로소 자본주의 세상에 눈을 떴고, 사람 구실을 하는 어부가 되었다. 지금은 굳이 바다를 비추는 빨간 등대와 초록 등대를 만나지 않는다.

나는 이상하게 만치 바다와 친밀한 인생을 살아왔다. 마침내, 내 배는 만선을 이뤘고, 150억 마리 물고기가 끊임없이 알을 낳는 양식장을 만들었다. 바다로 나간 지 2년 만에 '부자 아빠. 가난한 아빠' 작가가 언급한 돈이 돈을 부르는 시스템을 만들었다.

내 이름은 홍기봉. 89년생. 200억 물고기를 거느린 대형 어부이다. 사람들은 나를 슈퍼 개미, xx고등학교의 전설이라고 불러준다.

주식 시장과 인생은 모두 우리의 욕심과 절제가 얽힌 복잡한 그래프다. 우리는 모두 그 그래프 속에서 살아간다. 그 변동성을 지켜보는 투자자처럼, 우리의 인생 역시 기복이 있다. 그리고 우리는 그 기복 속에서 희망과 절망, 성취와 좌절을 겪으며 성장한다. 주식 그래프가 가파르게 상승과 하락을 반복하는 것처럼, 나의 삶도 수많은 기복을 겪었다.

경제적으로 몰락한 집안에서 바닥을 찍고 나락으로 떨어진 20대. 주식과 코인으로 다시 일어난 30대. 17년 간의 대역전극.

인생의 성공과 실패는 운에 달린 것일까, 아니면 노력에 달린 걸까? 이 질문은 한동안 나를 끊임없이 괴롭혔다. 그리고 결국, 답을 찾았다. 운이 찾아오는 사람도 있고, 평생 눈곱만큼도 보이지 않는 사람도 있다. 다만, 당신에게도 운이 온다면, 그 기회를 잡아야 한다. 때로는 운이 우리를 이끌기도 하고, 때로는 우리가 운을 담을 수 있는 그릇의 크기까지는 만들 수 있다. 내가 경험한 실패와 성공, 그 과정에서 배운 철학적 의미들을 통해 누구라도 자신의 인생 그래프를 새롭게 그릴 수 있기를 바란다. 약 20년 전의 기억으로 거슬러 올라가면, 바다조차 나가지 못하는 어항 속 한 마리 금붕어였던 시절. 고등학생 1학년 17살이었다.

제1화 어항 속의 금붕어

어느 날, 화창한 봄이 찾아왔다. 몇 주 전만 해도 거리마다 눈이 쌓여 있던 풍경은 온데간데없이 사라지고, 따스한 해가 구름 위로 고개를 들고 온 세상을 비추고 있었다. 길가의 나무들은 연초록 새싹을 틔우기 시작했다. 나뭇가지 사이로 스며드는 햇빛은 부드럽고 따뜻하게 얼굴을 감싸 안았다. 공기는 상쾌했고, 봄바람은 살랑살랑 불어와 기분 좋게 온몸을 감싸주었다. 참새들이 지저귀는 소리가 여기저기서 들려왔고, 길가의 작은 꽃들도 하나둘씩 피어오르고 있었다.

눈발이 사라진 거리에는 학생들이 길게 줄지어 걸어가고 있었다. 남학생들은 교복 흰색 와이셔츠를 벗어 팔에 걸치고, 서로의 어깨를 툭툭 치며 장난을 친다. 여학생들은 누가 더 짧은 치마를 입었는지 자랑하듯 발랄하게 웃으며 친구들과 이야기를 나눈다. 누가 더 짧은 치마를 입었는지 다리와 각선미를 자랑하듯 서로의 치마 길이를 비교하며 깔깔댔다. "너 이번에 치마 더 줄인 거야?" 한 여학생이 친구의 치마를 보고 눈을 반짝이며 물었다. "응, 엄마 몰래 줄였어. 요즘 이 정도는 돼야 인기가 좀 있지 않아?" 친구들은 부러워하며 고개를 끄덕였다. 남녀공학인지라 몰라도 여학생들은 부쩍 외모에 더 많은 관심을 가지기 시작했다. 화장품 이야기는 물론이고, 각자의 다이어트 비법을 공유하며 서로를 부러워하고 칭찬했다. 그렇게 삼삼오오 모여 깔깔거리며 이야기를 나누었다.

반면에 남학생들은 사춘기가 다가오며 얼굴 곳곳에 검은 수염이 거뭇거뭇하게 자라나고 있었다. 여드름이 여기저기 돋아나고, 호르몬의 짓궂은 장난답게 그들의 얼굴은 정말 못생긴 모습이 되어가고 있었다. "야, 너 오늘도 여드름 터졌냐?" 한 남학생이 친구의 얼굴을 보며 비웃었다. 그 친구는 부끄러워하며 고개를 돌렸다. 밤톨 머리를 한 남학생은 얼굴 가득 여드름이 돋아나 있었고, 뿔테안경을 쓴 친구는 코 주위가 빨갛게 부어올라 있었다. "이놈의 여드름, 언제쯤 없어질까?" 친구들은 투덜거렸지만, 당시 그들의 모습은 웃음을 참기 어려웠다.

겨울잠을 깬 거리에서 들려오는 소음은 생동감 넘치고 활기찼다. 나는 그들 사이에서 조용히 혼자 걸었다. 왕따까지는 아니었지만, 자주 놀림거리 대상이 되곤 했다. "야, 기봉아! 오늘도 헤드폰 쓰고 노래 듣냐?" 한 남학생이 기봉의 등 뒤에서 큰소리로 외쳤다. 다른 친구들이 키득거리며 따라 웃었다.

"기봉이, 그 헤드폰 좀 벗어봐! 너도 우리랑 얘기 좀 해!" 또 다른 학생이 그의 옆으로 다가와 손을 흔들며 장난스럽게 말했다. 한 학생이 내 가방 뒷주머니를 발로 툭툭 치며 장난을 쳤다. "기봉이, 너 책가방이 너무 늘어졌어. 책이 많이 들어있나 봐?" 그들은 웃음을 참지 못했다.

그들이 뭐라고 하던지, 노래가 들려온다. "하루에 네 번 사랑을 말하고 여덟 번 웃고 여섯 번의 키스를 해줘...."

학교에 도착하기까지 남은 거리는 고작 10분이었지만, 왠지 한없이 길게 느껴졌다. 따뜻한 봄 날씨에도 차가운 바람이 나의 뺨을 스치고 지나갔다.

초등학교, 중학교 시절을 보냈던 1990년대부터 2000년대 초반, 현금 10억만 있으면 부자라고 불리던 시절이 있었다. 그때는 주식을 하거나 사업을 하면 패가망신한다는 소리가 정설처럼 받아들여지던 때였다. 그런 시절 속에서, 나는 상류층에 가까운 중산층, 아니 지금의 단어로 말하자면 중상층에 속하는 가정에서 자랐다. 우리 집은 광역시의 한 고급 아파트 단지에 살았다. 넓은 거실에는 고급스러운 가구들이 놓여 있었고, 벽에는 유명 화가의 그림들이 걸려 있었다. 중앙에는 화려한 샹들리에가 걸려 있어 마치 영화 속 한 장면을 연상케 했다. 집 안 곳곳에는 부모님의 세심한 손길이 묻어 있었다. 매일 아침이면 어머니는 거실의 창문을 열어 신선한 공기를 들이셨고, 아버지는 출근 준비를 하며 신문을 펼쳐 들곤 했다.

 사업가인 아버지는 늘 깔끔한 정장 차림으로 출근하시는 모습이 멋지고 당당해 보였다. 어머니는 가정주부로서 집안을 돌보며 나와 동생을 키우는 데 전념하셨다. 그녀의 섬세함과 사랑 덕분에 집안은 언제나 따뜻하고 편안했다. 우리 가족은 남부럽지 않게 살았다. 주말이면 가족 모두가 함께 외식하거나 근교로 여행을 다녔다. "기봉아, 공부 열심히 해서 좋은 대학 가야 해." 부모님은 늘 이렇게 말씀하시며 나를 격려하셨다. 어머니는 "너희가 잘돼야 우리 집안이 잘되는 거야."라고 덧붙이셨다.

그 시절, 학교에서 돌아오면 깨끗이 정리된 집이 나를 맞아주었고, 저녁 식탁에는 항상 맛있는 음식이 가득했다. 식탁에는 빼곡히 네모난 흰 접시와 은수저와 함께 수저 받침대가 놓여 있었다. 가운데 놓인 커다란 은색 쟁반 위에는 노릇노릇하게 구워진 갈비찜이 푸짐하게 올라와 갈비의 달콤하고 짭조름한 향이 침샘을 뿜어냈다. 그 옆에는 선홍빛의 싱싱한 참치회가 가지런히 놓여 있었다. 참치의 부드러운 살결이 접시 위에서 반짝였고, 초밥 장인이 손수 만든 것 같은 섬세함이 느껴졌다. 그 옆에는 새우튀김이 바싹하게 튀겨져 있었다. 황금빛으로 반짝이는 튀김 옷은 한 입 베어 물면 '바삭' 소리를 내며 부드러운 새우살이 드러났다. 그 외에 나물 무침과 장아찌가 깔끔하게 준비되어 있었다. 고급 도자기 그릇에 가지런히 놓인 도라지 무침, 시금치나물, 고사리나물과 장아찌는 절묘한 간으로 입맛을 한층 돋우었다. 특히, 밥도둑이 불리는 명란젓과 간장게장은 놀러 온 친구들 사이에서 인기가 많았다. 후식으로는 잘 익은 딸기, 황금빛 배, 그리고 달콤한 수박이 눈과 입을 즐겁게 했다.

친구들은 우리 집을 부러워하며 "기봉이네 집 정말 부자다."라고 종종 말하곤 했다. 그런 말을 들을 때마다 나는 어깨가 으쓱해졌고, 부모님이 이루어 놓은 안락한 삶에 감사했다. 주식 그래프로 인생을 비유하자면, 우리 집은 한때 상한가를 찍으며 하늘 높은 줄 모르고 치솟던 주식 같았다. 집안의 재정 상태는 언제나 탄탄했고, 아버지의 사업은 날로 번창했다. 집에는 언제나 여유와 풍요로움이 가득했고, 우리는 행복한 일상을 누리며 살았다. 하지만 이런 안정된 생활이 영원히 계속될 것이라는 생각은 착각이었다. 우리 가족의 인생 그래프에도 어김없이 하락이 찾아왔다. 나는 무려 14년 동안이나 가난함이라는 무게를 온몸으로 겪어야만 했다.

중학교 3학년 때였다. 어느 날, 모든 것이 뒤죽박죽 뒤바뀌기 시작했다. 그래프는 급격히 방향을 틀기 시작했다. 비록, 적은 돈이지만 꾸준히 일정하게 들어오는 월급쟁이와 달리 사업가들은 한 달의 수입이 들쭉날쭉하다. 사업이 잘 될 때는 막대한 돈이 들어오기도 했지만, 그렇지 않을 때는 압박을 느끼기도 했다. 그래서 아버지는 안정적인 현금 흐름을 만들기 위해 늘 고민했었다. 동산을 부동산으로 돌려, 건물을 사서 월세를 받거나, 상가 임대 수익을 취하는 방식은 나름 안정적인 소득원이 됐다.

하지만 몇 년 전부터 부동산 시장은 예전 같지 않았다. 정부의 규제와 과도한 세금, 그리고 공급 과잉으로 인해 수익률이 점점 떨어졌다. 그런 상황에서 대안을 찾은 곳은 바로 주식 시장이었다. 동산의 위험성을 잘 아는 그였기에, 주식 투자를 즐기지 않았지만, 기준금리가 차츰 내려가며 덩달아 시장금리도 내려가니 생각이 달라지셨던 것 같다. 다양한 기업들의 재무제표를 분석하고, 주식 시장의 흐름을 파악하며 새로운 투자 기회를 찾았다. 경제 사이클에 따라 시장에서 호황기가 끝나고 급락장이 시작되는 것처럼, 우리 집도 예기치 않은 폭락 장에 접어들었다. 그 뒤로 주식 시장은 늘 아버지의 기대를 배반했다. 그의 과감한 투자는 결국 실패로 돌아갔고, 아버지의 표정은 날로 어두워졌다.

매일 아침 깨어날 때마다 아버지의 눈에는 피로와 절망이 서려 있었다. 손실을 메우기 위해 더 큰 투자를 감행할 때마다, 그 하락의 그래프는 절벽의 나락으로 떨어졌다. 환히 반짝이던 우리 집의 분위기도 덩달아 침울해졌고, 나의 삶은 숨이 턱턱 막혔다. 중학교를 졸업할 무렵, 우리 집은 바닥을 찍었다. 이제는 떨어질 곳도 없을 정도로, 절망의 끝자락에 서 있었다. 2005년, 우리 집은 무려 13억이라는 현금을 잃고 말았다.

그 당시, 이 상황이 얼마나 심각한지 알지 못했다. 그저 아버지가 평소보다 무거운 표정으로 집에 돌아오는 것을 보고 이상하다고 생각했을 뿐이다. 하지만, 어머니의 울먹이는 목소리와 부모님의 빈번한 다툼은 점점 어두운 가족의 현실을 깨닫게 했다.

하루는 학교에서 돌아왔는데, 집안 분위기가 이상했다. 어머니는 눈이 부은 채로 주방에서 울고 계셨고, 아버지는 거실에서 머리를 감싸쥐고 있었다. 그때 어머니가 나에게 말했다. "기봉아, 우리 이제 이 집을 떠나야 할 것 같다." 나는 그 말이 무슨 뜻인지 이해할 수 없었다. 그저 어리둥절한 마음으로 부모님의 표정을 바라볼 뿐이었다.

며칠 후, 우리는 집을 정리하기 시작했다. 소중했던 물건들이 상자에 차곡차곡 쌓여갔다. 이사 트럭이 도착하고, 우리는 집을 떠나 새로운 곳으로 향했다. 그곳은 지금의 LH, 당시 주공이라 불리던 임대아파트였다. 이전의 넓고 화려한 집과는 비교도 할 수 없는 작은 아파트였다.

임대아파트에 들어선 첫날, 나는 방 한구석에 앉아 새집을 둘러보았다. 벽지는 낡아 있었고, 방은 좁고 어두웠다. 부모님의 방에는 침대

하나와 작은 옷장이 전부였고, 내 방에는 작은 책상과 침대가 놓여 있었다. 아파트 단지는 낯설고 삭막했다. 놀이터는 오래되어 빛바랜 기구들이 가득했고, 주변 환경은 너무나 낯설었다.

거실에 앉아 TV를 보고 있던 어느 날, 어머니의 울음소리가 방에서 흘러나왔다. 문틈 사이로 들려오는 흐느낌과 한숨 소리가 무겁게 어깨를 짓눌렀다. 어머니는 밤마다 술을 마시는 아버지에게 울부짖으며 소리쳤다. "이렇게 살 수는 없어! 우리가 무슨 죄를 지었길래 이런 고통을 받아야 하는 거야?"

나는 TV를 끄고 잽싸게 방 안에 숨어있으나, 집이 너무 조그만 탓인지 벽 너머로 들려오는 그 소리에 애써 귀를 기울이지 않아도 아주 잘 들렸다. 어머니는 짐을 싸기 시작했고 이내, 내 방을 열고 들어와 말했다. "기봉아, 이제 내가 함께 있어 줄 수 없게 됐구나. 미안해. 정말 미안해."
혼란스럽고 두려웠다. 왜 이런 일이 벌어지는지, 우리 가족이 왜 이렇게 파탄에 이르렀는지 이해할 수 없었다. 어머니의 얼굴은 눈물로 얼룩져 있었고, 손은 떨렸다. 그 손으로 내 손을 잡으며 애써 미소를 지어 보였지만, 그 미소는 너무나도 슬펐다. "엄마도 정말로 떠나고 싶지 않아. 하지만 이렇게는 살 수가 없어. 우리에게 필요한 건 안정적인 집과 생활이야. 그러기 위해선 우리가 잠시 떨어져 있어야 할 것 같아. 엄마가 더 좋은 환경을 만들어 줄게. 그때까지 조금만 기다려줘."

 나는 어머니의 말을 이해하려 노력했지만, 그때는 그저 가시가 되어 내 가슴을 콕콕 찔렀다. 그 이후로 아버지와 같이 살아가던 집에는 따스했던 온기가 온데간데없이 사라졌다. 학교에서 돌아오면 차갑고, 텅 빈 집을 마주 보곤 했다. 웃음소리도, 화려한 저녁 식사도 없었다. 빚이 늘어나고, 돈이 부족해지자 아버지에 대한 사랑과 신뢰도 함께 무너졌다. 가난이 무엇을 초래하는지 조금씩 알아가며, 하루하루가 처참해지는 것을 느꼈다. 나는 벽과 낮은 천장이 있는 공간에서 혼자 있는 시간이 점점 더 많아졌다. 그리고 막 고등학교에 입학한 나는 새로운 환경에 적응해야 했다.

 어느덧 학교 교문 앞에 다다랐다. 교문은 은색 빛이 도는 출입문이었다. 등교 시간이 지나면 그 문이 무심하게 닫혀, 지각생들은 닫힌 출입문 앞에서 난감해하며 발을 동동 굴렀다. 교문 앞에는 학생부장인 주 선생님이 서 있었다. 그녀는 50대의 여자 선생님이었다. 통통한 체형에, 항상 화난 표정을 짓고 화장이 매우 짙어서 살구색보다는 허연색 피부, 쥐를 잡아먹은 듯한 빨강 입술, 아이라이너와 눈썹을 얼마나 덧칠했는지 검정만 눈에 띄었다. 그리고 눈매는 날카로웠고, 인상은 영원히 찌푸려져 있는 듯했다. 100m 밖에서도 한눈에 띄는 존재였다. 그녀는 어김없이 남학생들의 머리카락을 검사하고 있었다. "너, 머리 언제 자를 거니? 너무 길잖아! 내일까지 깔끔하게 정리해 와!" 한 남학생의 머리를 잡아당기며 잔소리하니, 그는 머리를 긁적이며 고개를 숙였다. 다른 남학생들도 그녀의 눈을 피하려 머리를 숙인 채 재빨리 지나갔다. 여학생들은 치마 길이를 단속받고 있었다. "치마가 너무 짧아! 당장 내려 입어!" 주 선생님은 치마 길이를 재며 여학생들에게 엄포를 놓았다. 여학생들은 불만스러운 표정을 지으며 치마를 내리려 애썼지만, 주 선생님의 매서운 눈초리에서 벗어날 수 없었다.

나도 선생님의 눈을 피하려고 고개를 숙인 채, 교문을 빠르게 지나쳤다. 그녀의 목소리는 굵고 강했다. "늦었다, 빨리 들어가!"
교문을 지나던 그 순간, 나는 속으로 중얼거렸다. "동화 속 개미와 베짱이가 아니라, 어항 속의 금붕어가 되었구나."

내 마음속에는 여러 가지 생각이 얽히고설켜 있었다. 내겐 그저 평범한 하루를 무사히 넘기는 것이 목표였다.

초등학교 때 넓디넓은 거실에 작은 세상에 갇힌 어항 속 빨강 금붕어 한 마리가 떠올랐다. 여과기가 받쳐주지 않으면, 상당히 먹는 양에 비해 똥을 많이 싸는 어종이라 수질 관리가 쉽지 않았다. 청소하지 않으면, 부유물이 떠올라 물은 언제나 탁했다. 마찬가지로 나는 한부모 가정이 되었고, 평수가 작은 임대아파트로 쫓겨났다. 작은 어항 속에서 헤엄치며 벽에 부딪히는 것처럼, 나 역시 숨이 막힐 듯한 공간에서 끊임없이 부딪혀야만 했다. 어머니의 부드러운 손길과 따뜻한 미소가 그리웠지만, 현실은 그따위 감정을 나에게 허락하지 않았다.

학교 벨 소리가 '띠리 리 리' 울리며 교실이 분주해졌다. 바닥은 중학교 때의 친근함을 느끼게 해주던 나무 바닥과는 달리 차가운 콘크리트 바닥이었다. 그 바닥은 차가운 만큼이나 우리에게 낯설고 딱딱하게 느껴졌다. 콘크리트 바닥은 매일같이 수십, 수백 명의 학생이 지나치면서 마모되어 있었고, 걸을 때마다 둔탁한 소리가 울렸다.

사물함도 중학교 때의 아늑한 나무 사물함이 아니었다. 대신 거칠고 거침없이 서 있는 스테인리스 깡통 같은 사물함이 줄지어 있었다. 스테인리스 특유의 차가운 반사광이 교실을 푸르게 물들이고 있었다. 사물함의 문을 열 때마다 삐걱거리는 소리와 함께, 그 차가운 금속의 촉감이 손끝에 전해졌다. 옆에는 까불까불 대명사인 친구가 내 단짝으로 앉아 있었다. 내 사정을 아는지 모르는지, 그는 늘 장난을 치며 나를 놀려댔다. 운이 나쁘게도 1학년 때 만난 그는 3년 내내 마치 운명처럼 인연이 계속 이어졌다.

고등학교 교실의 분위기는 중학교와는 사뭇 달랐다. 중학교 때의 익숙하고 따뜻한 느낌은 사라지고, 차갑고 딱딱한 현실이 우리를 맞이했다. 남녀 분반으로 운영되던 우리 학교는 남학생 5반, 여학생 7반으로 나뉘어 있었다. 남녀 합쳐 12개 반이 각각의 색깔을 가지고 있었다. 남자 반은 활기차고 역동적이었다. 매일 같이 교실 안에서는 축구 얘기, 게임 얘기, 가끔은 얕은 농담이 오갔다. 반면 여자 반은 조용하면서도 정교한 분위기였다. 학업에 집중하는 모습은 물론, 패션이나 뷰티에 대한 관심도 놓치지 않았다.

운동장은 생각보다 작았지만, 학생들에게는 충분한 놀이터였다. 축구를 좋아하는 남학생들은 작은 공간에서도 창의적으로 경기를 즐겼다. 매일 점심시간이 되면 어김없이 운동장 한쪽에서는 축구 경기가 벌어졌고, 다른 한쪽에서는 여학생들이 모여 산책을 하거나 이야기를 나누는 모습이 보였다. 그 사이사이에서 남녀가 교차하는 모습은 마치 작은 사회의 축소판 같았다. 반마다 40명 정도의 학생들이 있었다. 한 교실에 40명이 모여 앉아 수업을 듣는 모습은 그 자체로 장관이었다. 책상과 의자는 빽빽하게 들어섰고, 선생님이 교실 앞에서 강의하면, 학생들은 저마다 노트 필기를 하며 열심히 수업을 들었다. 그 속에서도 몇몇 학생들은 창가 너머로 멍하니 바깥을 바라보거나, 친구와 몰래 쪽지를 주고받기도 했다.

첫 수업은 국어였다. 교실이 조용해지고, 국어 선생님이 칠판 앞에 섰다. 그는 책을 펴들고 우리에게 "운수 좋은 날"이라는 소설을 읽기 시작했다. 김 첨지가 등장하는 이 소설은, 나는 어쩐지 오늘따라 더 마음에 와닿았다.

소설 속 그는 마차를 몰고 다니며 근근이 생계를 유지하던 가난한 인력거꾼이었다. 비 오는 날, 우연히 많은 손님을 태우게 되어 돈을 많이 벌고 "오늘은 참 운이 좋은 날이로군!"이라 외친다. 퇴근 후, 당시 귀했던 설렁탕을 먹고 싶다는 몸이 아픈 아내의 말이 떠올라 행복한 마음으로 집에 돌아와 아내에게 소리친다. "여편네야, 설렁탕 사 왔어. 빨리 일어나서 처먹어!" 하늘 같은 남편이 일 끝나고 왔는데도 코빼기도 보이지 않자, 문을 열고 방으로 들어서니. 차갑고 싸늘한 주검이 덩그러니 누워있다. 그는 아내를 부둥켜안고 "왜 먹지 못하니, 설렁탕을 사 왔는데!"라고 울부짖는다. 이 구절을 읽으며 왠지 모를 동질감이 스며들었다.

"우리 가족은 왜 이렇게 무너져야 했을까."

국어 수업이 끝나고, 착잡한 마음과 함께 중얼거리며 책을 덮었다.

"어쩐지 내 인생은 운이 좋더라니."

운이 좋다고 느껴지는 순간조차도, 그 끝에는 무엇이 기다리고 있을지 알 수 없는 것이 인생이라는 생각이 들었다. 김 첨지와 나의 운명은 어쩌면 크게 다르지 않다는 것을 깨달으며, 나는 다시 현실 속으로 걸어 들어갔다.

점심시간이 끝나고, 책상에 앉아 있던 중 갑자기 뒤에서 경현의 팔이 내 목을 감쌌다. "야, 기봉아! 이게 바로 효도르의 리어 네이키드 초크야!" 나는 순간 숨이 막혀 손을 휘저었지만, 그는 더 강하게 조였다. "이거 놔, 진짜 죽겠어!" 나는 가쁜 숨을 몰아쉬며 외쳤다.
"아직 아니야, 기봉아. 너도 한 번 배워둬야지!" 웃으며 초크를 풀곤 하면, 나는 캑캑 기침하며 자리에서 일어났다. 그리고 때때로 양치하거나, 자리에서 일어날 때면 "크로캅의 하이킥을 피했으니 이번엔 백태클이다!"라고 외치며 내 다리를 걸어 넘어뜨렸다. 나는 바닥에 나동그라졌고, 그는 내 팔을 비틀어 암바를 걸었다.
"이건 좀 심한데!" 나는 비명을 질렀다.
"이게 바로 실전 기술이야. 잘 봐둬!" 경현은 팔을 더 강하게 꺾으며 웃었다. 나는 겨우겨우 몸을 비틀어 탈출했지만, 기습 헤드락에 걸리고 말았다. "기봉아, 이걸로 기절시킬 수도 있어!"

"야, 진짜 놔! 숨 못 쉬겠어!" "오케이, 오케이. 장난이야!" 경현은 헤드락을 풀며 웃었다. 나는 숨을 고르며 자리로 돌아갔다. 이런 장난들이 교실에서 벌어지는 건 일상이었다. 경현은 늘 새로운 기술을 시험했고, 나는 그 대상이 되기 일쑤였다. 효도르, 크로캅 같은 전설적인 파이터들이 출전하는 K-1과 프라이드 경기를 보고 나면, 친구들과 그 기술들을 흉내 내며 장난치는 게 일상이었다.

오후 4시. 보충수업이 시작되기 전, 남자 화장실은 북적였다. 남학생들은 서로의 머리를 만지며 한껏 멋을 내고 있었다. 머리카락에 왁스를 바르고, 손가락으로 쓱쓱 넘기며 스타일을 잡는 모습이 여기저기서 보였다. "야, 준호야. 여기 좀 더 바르면 괜찮을 것 같은데?" 민경현이 나에게 말을 걸었다. 준호는 거울 앞에 서서 머리에 한껏 힘을 주는 중이다. 그는 작은 통에 든 왁스를 손끝에 덜어내어 머리에 바르고, 손가락으로 몇 번이고 머리카락을 쭈뼛쭈뼛 세우고 있었다. 그에게는 이 순간이 가장 중요한 것처럼 보였다.

"그래? 여기 이렇게?" 준호는 민경현의 조언에 따라 머리카락을 다시 한번 만지작거렸다. "응, 그 정도면 괜찮아. 이제 좀 봐줄 만하네."

나도 그 옆에서 머리를 정리하고 있었다. 거울 속에 비친 모습은 꽤 어설펐지만, 보충수업은 여자들과 같이 수업을 듣기 때문에 잘 보이고 싶었다. "야, 기봉아. 너도 왁스 좀 더 써봐. 머리가 너무 눌린 것 같아." 경현이 내 머리를 만지작거리며 말했다. "여기 좀 더 올려줘야지. 봐봐, 이렇게." 그는 내 머리를 손으로 쓱쓱 올려주며, 더 멋지게 만들어 주려 애썼다. 여자들 앞에서 멋지게 보이고 싶다는 기본적인 욕망이 철없던 우리를 하나로 묶어주었다. 남학생들은 아직도 서로의 머리를 만져주며, "이 정도면 괜찮겠지?", "너 머리 잘 어울린다.", "오늘 멋지게 보이자." 등의 대화를 나눈다.

"오케이, 이제 준비됐다. 가자!" 누군가 외쳤고, 우리는 모두 만족스러운 미소를 지으며 자신이 선택한 과목의 보충수업 교실로 향했다.

보충수업이 끝나고, 우리는 피곤한 몸을 이끌고 저녁 급식실로 향했다. 야간자율학습이 끝나는 밤 10시까지 학교에 있어야 했기 때문에, 저녁 메뉴는 꽤 중요했다. 급식실에 들어서자, 식판을 들고 줄을 서는 학생들 사이에서 대화와 웃음소리가 가득했다. 나는 줄을 서서 차례를 기다리며, 설마 '설렁탕은 아니겠지?'라고 속으로 중얼거렸다. 드디어 내 차례가 되자, 식판 위로 김이 모락모락 피어오르는 따뜻한 음식들이 놓였다. "스르륵" 국자가 밥을 담아주는 소리가 들렸고, "덜컹" 반찬을 덜어주는 소리가 뒤따랐다. 노릇노릇하게 구워진 생선과 함께, 매콤한 김치찜이 나왔다. "와, 오늘 저녁 급식 꽤 괜찮은데?" 옆에 앉은 친구가 말했다. 나도 고개를 끄덕이며 첫 숟가락을 입에 넣었다. 따뜻한 밥과 생선의 하얀 속살이 조화를 이뤄 입안에서 "우물우물" 씹히니 고소한 맛이 퍼졌다. "쨍그랑" 숟가락이 식판에 부딪히는 소리와 함께, 친구들은 저마다의 이야기를 나누며 식사를 즐겼다.

밥그릇의 바닥이 드러날 때, 조기의 눈이 꼭 나를 째려보는 것만 같았다. 금붕어처럼 작은 어항 속에서 한정된 공간에 갇혀 평화롭지만 단조로운 일상을 사는 것과, 큰 바다에서 자유롭게 헤엄치지만 언제나 포식자의 위협에 노출된 생선. 나는 어느 쪽에 가까운가?

금붕어는 한정된 공간 안에서 안전을 누리지만, 그 안에는 탐험도 도전도 없다. 하루하루가 똑같은 일상의 반복. 반면에 조기 같은 생선은 넓은 바다를 누비며 자유를 만끽하지만, 그 자유의 대가로 언제나 위험에 노출된다. 내 인생도 어쩌면 이런 두 가지 선택지 사이에 있는 것 같았다. 금붕어보다는 생선이 나으려나?

가시를 발라내며, 하얗고 부드러운 속살을 입으로 한 술 넣었다. "이 거 정말 맛있다." 그리고 밥을 또 한 숟가락 떠서 입에 넣었다. 식사 를 마치고 나니, 몸이 조금은 따뜻해지고 힘이 나는 것 같았다. 학교 급식으로 끼니를 때우며 겨우 삶을 이어가는 나날. 금붕어가 주는 작 은 먹이를 받아먹으며 살아가는 것과 다르지 않았다. 다만, 어항 속 금붕어는 자신의 세상이 좁다는 것을 알지 못하지만, 나는 내 상황이 얼마나 좁고 답답한지 잘 알고 있었다.

야간자율학습이 시작되는 시간, 교실은 겉보기에는 조용했다. 책상마 다 학생들이 앉아 있는 모습이 평화로워 보였지만, 이면에는 재미와 활기가 넘쳐났다. 이곳은 자율학습이라는 이름 아래 강제로 학교에 머물러야 했던 시간이었다. 우리 학군의 아이들은 대부분 중산층 이 상 가정에서 자라났지만, 남녀공학 때문인지는 몰라도 남학생들은 공 부보다 다른 데 더 관심이 많았다. 선생님들은 복도를 주기적으로 순 찰하며 우리를 감시했다. 선생님이 복도를 지날 때마다, 폴더 핸드폰 이 재빠르게 닫혔다. 나는 폴더 핸드폰을 책 밑에 숨기고 게임을 하 거나, 교과서를 탑으로 쌓아놓고 만화책을 펼치곤 했다. 그리고 가끔 고개를 들고 주변을 살피며 선생님이 오지 않는지 확인했다.

"야, 기봉아. 이번 회차 진짜 재밌어. 주인공이 드디어 악당을 물리쳤다니까?" 민경현이 작은 목소리로 내게 속삭였다. 나는 고개를 끄덕이며 폴더 핸드폰을 꺼내 게임을 시작했다. 게임 속 캐릭터가 "삐빅" 소리를 내며 점수를 올리고, "뚜두뚝" 소리와 함께 적을 물리쳤다. 우리는 선생님이 다가오는 소리에 재빨리 핸드폰을 숨기고, 마치 아무 일도 없었다는 듯 교과서를 펼쳤다.

복도를 걸어 다니는 선생님의 발소리가 점점 가까워졌다. 우리는 긴장하며 다시 공부하는 척했다. 선생님이 지나가고 나면 다시 "사르르" 폴더 핸드폰을 열고, "쉭쉭" 만화책을 꺼내들었다. 이런 식으로 우리는 야간자율학습 시간을 보냈다. 어쩌면, 이렇게 몰래 즐기는 순간들이야말로 진정한 '자율'이 아닐까 하는 생각이 들었다.

어느 날, 야자를 감독하는 선생님이 하필이면 체육 선생님이었다. 그 선생님은 운동장에서도 엄격하기로 소문난 분이라, 교실에서는 더욱 눈을 부릅뜨고 아이들을 감시하고 있었다. "야, 경현아! 미친개가 돌아다니고 있어!"

"너희들 지금 뭐 하는 거야? 야간자율학습 시간에 장난을 치다니!" 그 장면을 본 선생님이 호통을 쳤다.

한편, 걸리지 않고 무사히 빠져나간 아이들도 있었다. 그들은 복도 저편에서 조용히 자신의 자리로 돌아가며 웃음을 참지 못하고 있었다. 나는 자리에 앉아 폴더 핸드폰을 만지작거리며 중얼거렸다. "인생은 정말 운인가 봐." 지금 이 순간에도 누군가는 선생님의 눈을 피해 가고, 누군가는 걸려서 혼나고 있잖아. 야자가 끝나고 달빛이 비치는 정문을 나가기 전에도 그의 장난은 끝나지 않았다. 가방을 들었는데, 이상하게 무겁고 울퉁불퉁했다. 열어보니 내 가방에 체육복과 책 대신 공책과 교과서를 모두 쑤셔 넣어둔 것이다. "이게 뭐야?" 나는 어이없어하며 고개를 절레절레 흔들었다.

야간자율학습이 끝난 후, 학생들은 삼삼오오 짝을 지어 학교 근처 아파트 단지로 몰려갔다. 주변은 어둑해지고, 가로등 불빛이 희미하게 비치는 벤치에는 학생들이 몰려들어 작은 무리를 지었다. 그곳에서는 유교 문화가 제법 강했던 어른들에게는 다소 민망한 일들이 벌어졌다. 몇몇 커플들은 키스에 열중했고, 어떤 남학생은 여자친구의 블라우스 안으로 손을 넣어 봉긋하고 말랑거리는 촉감을 느꼈다. 이런 장면들이 반복되자, 아파트 주민들은 불편함을 느끼고 학교에 민원을 넣곤 했다.

다음 날, 학생부장 선생님은 학교 전체 회의를 소집했다. 그녀는 성문화에 대해서는 나름 개방적이고 이해심 많았다. "여러분, 우리는 이 문제를 해결하기 위해 화장실에 콘돔을 설치합시다. 선진국과 같이 학생들의 올바른 성교육과 성문화도 안전하게 지켜줘야 합니다."

남녀공학인 이 학교에서는 학생들 사이의 미묘한 차이가 분명히 드러났다. 남학생들은 여자라는 이성에 신경을 쓰느라 한 가지 일에만 집중할 수 있는 경우가 많았다. "여자가 옆에 있으면 공부에 집중이 안 돼," 한 남학생이 친구에게 속삭였다. "나도 그래," 친구가 동의했다.

반면 여학생들은 마치 멀티플레이어처럼 연애도 하고, 공부도 척척 해내는 모습을 보였다. 그들은 남학생들보다도 내신 성적이 높았다. "여자애들은 어떻게 이렇게 잘하지?" 한 남학생이 투덜거렸다. "공부도 잘하고, 연애도 하고," 또 다른 친구가 덧붙였다. 그렇게, 남녀공학 고등학교는 각기 다른 모습의 학생들로 개성이 넘치는 다양한 색으로 빛깔을 이뤘다. 이곳에서는 학업과 연애, 그리고 성문화에 대한 다양한 이야기가 펼쳐졌고, 그 속에서 학생들은 나름의 방식으로 성장해 갔다.

우리는 어느덧 이과와 문과를 선택해야 하는 고2가 되었다. 한 학년 위로 올라갔음에도 나의 삶은 여전히 윤하의 노래와 만화책, 그리고 폴더 핸드폰 게임으로 알록달록했다. 그 시기, 내 삶에 새로운 인물이 등장했다. 민경현에서 끝 자만 다른 민경천. 이름만 비슷할 뿐, 나와 같은 오타쿠였다. 그날은 교실 창가에 앉아 윤하의 노래를 듣고 있던 때였다. "하루에 네 번 사랑을 말하고 여덟 번 웃고 여섯 번의 키스를 해줘," 라는 노랫말이 귀에 울려 퍼질 때, 문득 옆자리에서 누군가가 말을 걸어왔다.

"너도 윤하 좋아하냐?" 고개를 들어보니, 그가 나를 바라보고 있었다. 그는 민경현과 달리, 조금 더 차분하고 깊이 있는 눈빛이었다.

"응, 좋아해. 노래가 딱 내 스타일이야." 나는 그에게 답하며, 이어폰 한쪽을 건넸다. 민경천은 그 이어폰을 받아들고, 함께 노래를 들으며 미소 지었다. 수업이 끝나면 함께 일본 만화책을 읽고, 서로의 핸드폰 게임 점수를 자랑하며 시간을 보냈다. 그와 이야기를 나눌 때면 시간 가는 줄 몰랐다. "기봉아, 너도 이 애니메이션 봤어? 이 장면 진짜 대박이지 않아?" 그는 항상 나에게 자극적인 일본 애니메이션과 만화를 추천해 주었고, 우리는 그 속에서 새로운 세계를 발견하곤 했다.

친구들은 여전히 야간자율학습을 피하고 피시방으로 향하곤 했다. 그들은 서든어택과 스타크래프트 같은 게임에 열중하며 밤을 보냈다. 들려오는 키보드 소리와 함께, 아이들은 밤마다 각자의 환상으로 빠져들었다. 하지만 나는 집안이 기울었기 때문에 피시방 갈 돈도 없었다. 그렇다고 공부에 전념한 것도 아니었다. 책상에 앉아 있는 시간이 많았지만, 그저 자리에 앉아 있을 뿐이었다. 교과서와 문제집을 펼쳐 놓고도, 눈은 허공을 향해 눈만 끔뻑거렸다. 머릿속은 온통 다른 생각들로 넘쳤다. 수업 시간에도 선생님이 칠판에 적어주는 내용은 귀에 들어오지 않았고, 눈앞의 글자들은 마치 흩어져 버린 것처럼 보였다. 마음 한구석에는 항상 경제적인 걱정과 불안이 함께 했다. 아버지의 주식 실패는 꾸준하게 고통이 몰려와 내 어깨를 항상 짓눌렀다. '이렇게 살아도 괜찮을까?', '아르바이트라도 해야 하나?'

집안 상황이 나아질 기미는 없었지만, 어느덧 인생에서 가장 중요하다는 고3이 되었고, 최소한 3~5등급 정도의 수능 성적은 맞추려고 마음을 다잡았다. 시간은 흘러 마침내 11월 수능 날이 다가왔다. 겨울의 칼바람이 매섭게 몰아치는 날씨 속에서, 형형색색 패딩을 입고 시험장으로 향하는 사람들이 보였다. 나도 꽤 두툼한 외투를 입고 시험장에 도착하니, 교문 앞에는 누군가 정성스럽게 만든 플래카드가 휘날리고 있었다. "XX고 선배님들, 힘내세요! 우리의 자랑입니다!"라고 적힌 초록 배너들이 바람에 나부꼈다. 그리고 교문을 통과하는 순간, 후배들이 환호하며 응원의 목소리를 높였다. "화이팅! SKY 가자!" 이들이 나눠주는 엿과 초콜릿을 받으며, 학생들은 시험장으로 터벅터벅 걸음을 옮겼다. 시험장은 무거운 정적이 흘렀고 학생들은 긴장된 표정으로 각자의 자리에서 천천히 심호흡했다. "이 순간을 위해 얼마나 많은 밤을 지새웠던가." 모두의 마음속에는 다양한 감정이 교차했다.

"모두 준비됐나요?" 시험 감독관이 교실로 들어와 시험지와 OMR카드를 배포했다. 컴퓨터용 사인펜을 잡은 손이 땀에 젖고 덜덜덜 떨렸고, 흰 종이 위에 까만 글씨들이 눈에 잘 들어오지 않았다. '이번 시험에서 꼭 좋은 성적을 받아야 해.' 점차 시험에 적응해나가며 오후 5시 종과 함께 기나긴 나의 수험생활이 막을 내렸다. '할 수 있는 만큼 했다'라고 자신을 위로하며 다음 달 최종결과를 기다렸다. 발표날이 오자 교실에서 선생님이 한 명 한 명 호명하며 성적표를 나눠줬다. 친구들은 조용히 속삭이거나, 손을 모은 채로 가만히 자기 차례를 기다렸다. "홍기봉, 나와서 받아라."

선생님의 목소리가 들리자, 천천히 자리에서 일어났다. 그리고 교단으로 나가 땀이 밴 두 손으로 종이를 조심스레 펼쳐보았다. 성적표에는 3~5등급 정도의 점수가 찍혀 있었다. 1년간의 고생이 주마등처럼 스쳐 지나갔다. 부족한 점수지만, 목표했던 수준과 대충 비슷한 성적이었다. 그리고 며칠 뒤, 친구들 앞에서 해양대에 원서를 넣겠다고 선언했다. 다소 신중한 표정을 지으며 초록 칠판 앞에 붙은 대학의 정시 등급을 확인하던 4명이 금세 화색이 돌며 나를 바라봤다.

"야, 기봉아!" 한 친구가 손을 번쩍 들며 외쳤다. "너 해양대 가서 참치잡이나 하러 가냐?"

"맞아, 맞아! 이제 너희 집 냉장고에 맨날 참치통조림 쌓여 있겠다!" 또 다른 친구가 장난스럽게 덧붙였다. 나는 잠시 당황했지만, 이내 미소를 지었다. "응, 그렇지. 참치야말로 미래지향적인 비즈니스야, 인마." 그러자 한 친구가 칠판 앞으로 나와 우스꽝스럽게 경례를 했다. "선장님, 참치잡이 출항 준비 완료했습니다! 좌표는 태평양 한가운데입니다!"

웃음바다가 된 교실에서 친구들은 저마다 한마디씩 보탰다.

"우리 학교에 바다 냄새나는 사람 한 명쯤은 있어야지!"

"야, 나중에 기봉이가 잡아 온 참치로 회 파티 한 번 하자고!"

제2화 횟집 앞 수족관

내륙에 살던 나에게 남해를 마주한 대학 캠퍼스는 참으로 새로웠다. 맑은 공기가 폐 속 깊이 스며들었고, 푸른 바다는 성인이 된 나를 조용히 어루만져 주었다. 광활한 수평선을 바라보고 있으면, 어항 속 금붕어에서 벗어나 드넓은 곳을 유영하는 물고기가 된 듯한 기분이었다.

바다의 짠 내가 코끝을 자극했다. 시원한 바닷바람이 내 얼굴을 스치며 머리카락을 흩날렸다. 바다 위를 떠돌며 내 살갗에 닿는 물의 촉감을 느꼈다. 확실히 어항 속의 물보다는 거칠었고, 얼음처럼 차가웠다. 눈을 감으면 들려오는 파도 소리와 갈매기 울음소리는 어항 속에서는 느낄 수 없었던 생생함이 몰려왔다. 하지만 한없이 자유로울 줄 알았던 나의 방만한 뇌는 곧 나를 더 깊은 수렁 속으로 이끌었다.

오랫동안 차가운 수온에 온몸을 담그다 보니 털 하나하나까지 전부 얼어붙었고, 거친 파도가 벽을 세우자 앞으로 나아가기 어려웠다. 마치 내 자유를 비웃기라도 하는 듯, 옥죄는 그물과 낚싯바늘도 곳곳에

도사리고 있었다. 새로운 환경의 광활함 속에서도 언젠가는 그물에 매달려 횟집 생선으로 실려 갈 것만 같았다. 불완전한 자유는 또 다른 형태의 구속이었다.

해양대학교는 다른 대학들과는 달리 특수화된 교육 과정을 제공하는 곳이었다. 일반 대학의 스무 살 신입생들은 캠퍼스 삶을 즐기며 자유를 만끽하는 반면, 나는 입학과 동시에 군대와 같은 생활을 시작했다. 아침부터 저녁까지 이어지는 규율은 엄격했고, 1학년 때부터 바다에 갇혀 지내야 했다. 기숙사 복도에서는 매일같이 고함이 울려 퍼졌고, 우리는 지정된 시간에 기상하고 취침해야 했다.

입학 후 처음으로 제복을 입고 느꼈던 중압감은 아직도 생생하다. 흰 티셔츠와 찢어진 청바지가 아닌, 딱딱하고 무겁게 느껴지는 제복은 교복과는 또 다른 나의 자유를 억압하는 듯했다. 제복, 제모 등은 우리가 해양대학의 일원이 되었음을 상징했고, 소속 학과의 학과장을 옷깃과 견장에 부착해야 했다. 매일 아침, 제복을 단정히 차려입고 거울 앞에 서면, 일반 대학생이 아니라는 사실을 실감했다. 일반 대학생들의 캠퍼스 생활은 자유로움 그 자체였다. 신입생들은 수능의 압박에서 벗어나 해방감을 만끽했다. 강의가 끝나면 곧바로 카페나 초록 잔디밭에 누워서 수다를 떨거나, 맥주잔을 부딪치며 웃음을 터뜨렸다. 그리고 저녁이 되면 술집에 모여 앉아, 술잔을 기울이며 도시의 밤을 구석구석 탐험하곤 했다. 나는 고등학교 친구들의 모습을 상상하며, 마저 제복의 단추를 하나하나 잠갔다. 각자의 방에서 나와 복도를 걷는 순간, 제복을 입은 동료들과 마주치며 가볍게 눈인사를 나눴다. 캠퍼스를 거닐 때마다, 제복을 입고 걷는 우리의 모습은 마치 작은 군대와 같았다.

한 번은 배를 타고 나간 날, 파도가 심하게 쳐서 선내는 끝없이 흔들렸고, 나는 구토를 참아내며 갑판 위에서의 작업을 이어갔다. 물이 얼굴을 스치며 차가운 소금기가 입술에 남았다. 그때 문득, 고3 때 민경현이 내게 던진 말이 떠올랐다. "해양대? 참치나 잡으러 가는 거냐?" 민경현의 조롱 섞인 목소리가 아직도 귀에 생생했다. 비록 원양어선은 아니었지만, 그 말이 떠오를 때마다 왠지 한숨이 푹 나와 땅이 꺼지곤 했다.

그곳은 마치 거대한 군함 같았다. 바닷바람이 세차게 부는 갑판 위에서, 우리는 매일같이 훈련을 받았다. 기숙사는 협소하고, 한 방에 여럿이 함께 생활했다. 바다는 우리의 일상이었고, 그곳에서 우리는 고된 훈련과 실습을 이어갔다.

그나마 운이 좋다고 여길 수 있는 점도 꽤 있었다. 이 대학은 집안이 어려운 덕분에 등록금이 면제되었고, 고등학교 친구들과 달리 군대에 입대하지 않아도 군 복무를 대신할 수 있다는 점에서 크나큰 위안이 되었다.

'2학년이 된 친구들은 이제 막 입대를 준비하고 있을 텐데. 나도 조금만 고생하자'

철저한 규율 속에서 제복을 단정히 입고 견장을 달 때마다 거친 파도를 헤쳐나가는 물고기의 작은 몸부림과도 같았다. 친구들이 겪을 군 생활을 대신해 이 바다를 유영하며, 나 또한 날카로운 비늘과 강한 지느러미를 갖춘 어종으로 변해갔다. 이전보다 더 큰 물고기, 그러니까 강한 어종으로 거듭나는 기분이었다.

상선 사관을 양성한다는 목적하에 세워진 해양대학은 바다를 나갈 때도 승선생활관에서의 의무를 다해야 했다. 아침과 저녁마다 인원, 복장, 위생점검 등이 있었고, 구보를 했다. 외출 시 큰 구호를 붙여 경례하고 상륙신고를 하는 등, 일반 대학생과는 전혀 달랐다.

육지로 돌아오면 가장 먼저 찾았던 곳은 캠퍼스 도서관에서 도보로 5분 거리에 있는 횟집 앞 수족관이었다. 그곳에 가면 다양한 생선들이 유유히 헤엄치고 있었다. 좁은 공간에서 서로 부딪히며 살아가는 모습이 꼭 내 모습 같았다.

일주일 뒤, 기숙사로 향하는 길에 수족관을 둘러보았다. 고새 들어온 활기찬 물고기들은 자신의 운명도 모른 채, 헤엄칠 때마다 작은 물방울이 반짝였다. 우럭은 한쪽 구석에서 고요히 떠다니고 있었고, 광어는 바닥에 납작 엎드려있었다. 농어는 은빛 비늘을 반짝이며 빠르게 움직였고, 도미는 차분한 몸짓과 함께 주위를 두리번두리번 살피고 있었다. 언제든지 칼날에 잘려나갈 운명을 지닌 이들을 바라보며 한참을 서 있었다. 우리에게는 그저 식재료일 뿐이지만, 그 안에는 존귀한 생명과 두려움도 함께 존재한다고 생각했다.

주방장이 수족관 앞으로 나와 깊이 숨을 들이마셨다. 한쪽 눈썹을 살짝 추켜세우니, 검은 눈동자가 더욱 돋보였다. 물속에서 생선이 움직이는 소리를 들으려는 듯 고개를 약간 앞으로 기울였다. 한 번도 웃어본 적이 없는 듯한 그 입가에는 차가운 엄격함이 서려, 입술은 꽉 다물려 있었다. 곧, 눈이 매섭게 번뜩였고, 콧구멍이 벌렁거렸다. 뜰채를 들고, 스윽- 하고 손을 물속으로 집어넣었다. 생선들은 그 움직임에 휙휙 도망쳤지만, 주방장은 지그시 눈을 좁히며 목표에 집중했다. 생선들은 압박이 다가오자 몸이 떨리는 듯했다. 주방장의 손목이 슥슥 더 빠르게 움직일 때마다 물결이 찰랑거리며 생선들을 덮쳤다. 그의 눈은 더욱 날카로워졌고, 그의 이마에는 살짝 주름이 잡혔다.

마침내, 손은 정확하고 신속하게 생선을 향해 나아가더니, 휙- 하고 물속을 가르며 생선을 건져 올렸다. 그리고 잠시 생선을 바라보며 눈을 깜빡였고 콧구멍은 더욱 벌렁거렸다. 이내, 그의 입가에는 자본주의의 미소가 미세하게 번졌다. 뒤로 돌아 주방을 향해 걸음을 옮길 때마다 생선들은 그의 뒤를 쳐다보며 공포에 떨었다. 시퍼런 칼로 머리와 몸을 썰어낼 때마다 날카로운 소리가 귀에 쟁쟁하게 울렸다. 통장에 돈이 착착 꽂히는 소리와 다름없다고 생각했는지 아까의 그 미소가 다시 번졌다. 아마도 그의 귀엔 기계적으로 찍히는 숫자와 이윤의 향연이 들리는 듯했다. 그 섬뜩한 미소와 함께 도마를 치는 소리가 들려올 때마다 내 인생도 언제나 저 길고 날카로운 칼날에 달린 것 같아서 심장이 쪼개지는 것 같았다.

'회로 썰리는 생선처럼 내 인생도 누군가의 날카로운 칼날에 의해 잘게 잘려나가고 있는 건 아닐까.'

그리고 초밥의 재료가 되기 위해 얇고 정교하게 손질되는 생선처럼, 내 경제적 압박도 점점 더 섬세하고 예리한 고통으로 다가오는 것 같았다. 정갈하게 썰려진 회 한 점은 그 투명한 빛깔과 부드러운 질감으로 사람들의 입맛을 사로잡는다. 예리한 칼날이 생선의 살을 스치며 얇게 저며낼 때, 그 생선이 겪을 고통을 생각하지 않을 수 없었다. 초밥 위에 올려진 생선도 마찬가지였다. 쌀알 위에 얹혀, 간장과 고추냉이와 함께 사람들의 입속으로 들어간다. 그 부드러운 식감과 신선한 맛은 많은 사람에게 기쁨을 주지만, 식탁 위에 올려지기까지의 과정은 냉혹했다.

곧 주방에서는 칼칼한 냄새가 진하게 풍겨왔다. 냄새는 눈을 살짝 찡그리게 할 만큼 자극적이었지만, 동시에 속을 뜨끈하게 데워줄 것 같은 기대감에 입안에 침이 고였다. 붉은 국물 속에는 고추와 마늘, 양파가 진하게 녹아들어 있었고, 무와 대파, 두부까지 큼직하게 썰려 둥둥 떠다녔다. 조기, 갈치, 우럭, 도미까지, 그 물속에서 각기 다른 생선들이 한데 섞여 여러 내음이 어우러졌다. 냄비 뚜껑이 들썩이며 뿜어져 나오는 증기 속, 빨갛게 펄펄 끓는 국물과 새하얀 생선 살이 부드럽게 익어갔다. 고통스럽게 몸부림치는 생선들이 나를 쳐다본다. 펄펄 끓는 그 빨간 국물 속에서 저항도 못 하고 그저 그 안에서 끓어오를 뿐이었다.

결국, 어떤 생선들은 그 붉은 국물 속에서 끓어오르기도, 예리한 칼날에 의해 정교하게 저며지기도, 그리고 차가운 밥 위에 일정한 크기로 얹히기도 했다. 언젠가는 나도 누군가에게는 그저 맛있는 식사 거리로 전락할 수 있다는 생각이 들었다. 생선들이 무력하게 끓어오르는 모습을 보고 있자면, 나도 그 안에서 잘려나간 몸통과 같이 하나의 조각으로 전락하는 기분이 들었다. 누군가의 식탁에 오를 운명을 피할 수 없는 생선들처럼. 그 빨간 국물은 내게 붉은 경고등이자, 생존의 경각심을 일깨워주는 신호였다.

다시 수족관을 바라봤다. 물이 푸르게 빛나는 것처럼, 어느새 내 마음도 시퍼런 두려움에 물들었다. 물 위로 비치는 햇빛은 찰나의 위안일 뿐, 그 아래에는 깊고 어두운 현실이 있었다. 내가 지금 겪고 있는 경제적 고난은, 언제 어떻게 나를 덮칠지 모르는 시퍼런 칼날과도 같았다. 수족관 속에서, 생선들은 서로에게 속삭이는 중이다.

"우리는 이 차가운 물 속에 갇혀, 언제 잘려나갈지 모르는 운명을 기다리고 있어. 자본주의 사회에서 돈이 없으면 이렇게 무력하게 당할수밖에 없는 거야."

그 절망감에 못 이긴 한 생선이 몸을 돌려 수족관 벽에 스스로 부딪혔다. 고통과 두려움의 나날을 보내는 것 보다, 스스로 생을 마감하는 편이 낫다고 생각한 것인가. 곧 그 생선의 몸이 수족관 바닥에 조용히 가라앉을 때, 다른 생선들은 침묵 속에서 그 장면을 지켜보았다. 그들은 모두 이해했다. 그 절망과 두려움을. "이곳에서 살아남기 위해서는 강해야 해. 하지만 우리에게는 아무런 힘도, 아무런 선택권도 없어."

그들은 수족관 안에서 약육강식의 법칙을 몸소 경험하고 있었다. 주방장의 칼날이 다시 한번 번뜩일 때, 생선들은 서로의 눈을 마주쳤다. 어느덧 내 뒤로는 그림자가 길게 늘어져 바닥을 덮고, 석양이 붉게 물들어 갔다. 차츰 길어진 그림자는 서서히 어둠 속으로 사라져 갔다.

한 달이 지나자, 수족관은 또다시 변했다. 처음 봤던 생선 중 절반은 사라지고, 새로운 생선들이 그 자리를 채웠다. 주방장의 뜰채는 여전히 무자비하게 그들을 건져 올렸다. 언제 잡아먹힐지 모르는 두려움, 그 불안함이 아직도 나를 따라다녔다. 주방장의 날카로운 눈빛, 뜰채가 물속을 휘젓는 소리, 생선들이 허둥대며 도망치는 모습은 자본주의 사회에서 가난한 사람들의 모습을 그대로 닮아 있었다.

'저 중에 나는 어떤 생선일까?'

조기처럼 작은 몸집에 비해 비릿한 향을 지닌 생선일까, 아니면 갈치처럼 길쭉하고 은빛 비늘을 자랑하는 생선일까? 혹은 우럭처럼 튼튼하고 두툼한 살을 가진 생선일까? 아니면 도미처럼 귀한 대접을 받는 생선일까? 내 경제적 고난이 언제든지 나를 빨간 국물 속으로 끌어당길 수 있다는 사실을 잊지 않으며, 누군가의 식탁에 오르는 일만큼은 피하고 싶었다.

 매운탕을 사 먹을 돈이 없어, 조그마한 기숙사 방으로 돌아왔다. 라면이 끓어오르는 동안, 가스레인지 앞에서 그 자리를 떠나지 않았다. 뜨거운 김이 올라오는 것을 보며, 어쩌면 내 인생도 지금처럼 펄펄 끓어올랐으면 좋겠다는 바람을 갖기도 했다.

 라면이 완성되면, 달걀 하나를 톡 깨서 넣고, 붉은 국물이 잘 섞이게 휘저었다. 한입 먹을 때마다, 목구멍을 타고 내려가는 뜨거운 국물은 내 속을 데우면서도, 깊은 곳에서부터 올라오는 서러움을 느끼게 했다.

 '돈이라는 것은 도대체 무엇일까?'
 단지 물건을 사고파는 수단이 아닌, 사람의 관계를 좌우하고, 인생의 방향을 결정짓는 무언가라는 생각이 들었다.

 '그렇다면, 경제란 또 무엇일까?' 그건 돈보다 확장된 의미로 인간의 모든 삶을 좌우하는 절대적인 힘일까? 그 속에는 사람들의 욕망, 두려움, 희망이 모두 얽혀있다. 주머니에 꾸깃꾸깃 접힌 사천 원.

그 엄습해오는 불안감을 해소하라면, 돈을 벌어야 한다는 강박감과 경제의 본질을 고뇌했다. 돈과 경제를 알지 못하면, 붉은 국물에서 무기력하게 떠밀려 다니는 존재가 되는 것이 아닐까. 하염없이 바닥을 향해 나아가던 그래프도 잠시 머뭇거릴 때도 있었다. 대학교 3학년이 되고 나서는 동기들과 원양항해를 떠나 외국 항구에서 놀러 나가는 추억도 쌓고, 그 덕분에 즐거운 나날을 당분간 보낼 수 있었다. '희망에 넘친 가없는 저 바다. 푸른 저 바다, 젊은이 꿈을 실은 물길도 멀다. 아침 해 저녁노을에 물빛이 곱다.'

4학년 졸업반이 되고 나서는 학교가 아니라 회사에 소속되는 기간이었고, 3년 동안 동고동락한 동기들과도 흩어져야 했다. 실습생이라는 선박 내 최하직급이라서 떠맡는 일은 많았고, 밤낮을 가리지 않는 입출항, 선배 사관들의 갈굼, 휴일 없는 배에서의 몇 달간의 생활로 노곤함을 견뎌야 했다.

동기들과 함께 배 위에서 바닷바람을 맞으며 이야기를 나눴다.

"기봉아, 여기 생활 좀 어떠냐?" 동기 중 하나가 물었다.

나는 한숨을 쉬며 대답했다. "솔직히 말하면, 지옥 같아. 휴일도 없고, 선배들은 계속 갈구고.... 끝이 없을 것 같아."

다른 동기가 고개를 끄덕였다. "맞아, 회사 실습이 이렇게 힘들 줄 몰랐어. 그냥 배 위에서 죽는 줄 알았다고."

"그래도 외국 항구에서 잠깐씩 나가 놀던 게 그나마 위안이었지," 나는 웃으며 말했다. "그때는 진짜 꿈 같았어. 우리가 정말 바다를 누비고 있구나 싶었거든."

"그래도 우리 힘내자," 동기 하나가 말했다. "이 생활도 결국 지나가겠지."

졸업까지 남은 기간은 6개월. 안정적인 직장을 구하는 것이 이상적이었지만, 스펙을 쌓고 안정된 직장을 구하기에는 동기들과 같은 출발선에 서 있을 수 없었다. 그들은 어느 정도 안정된 집안에서 자란 반면, 나는 당장 빚을 갚고 하염없이 폭락 곡선을 이끌던 가정을 반등시켜야 한다는 책임감과 어머니를 다시 만나고 싶은 간절함이 내 몸을 지배했다.

당장 큰돈을 벌어야만 했다. 해양대에서 배운 항해술과 바다에서의 경험을 최대한 활용할 수 있는 방법으로 참치잡이 배가 눈에 들어왔다. 그리고 매일 밤늦게까지 책상에 앉아 해도와 나침반을 들여다보며 3급 해기사 자격증을 공부하며 시간을 보냈다. 그런데 문득, 자격증만으로는 이 생활을 벗어날 수 없다는 생각이 들었다.

서점에 들어서는 순간, 신선한 종이와 잉크가 어우러진 향, 그것은 마치 오래된 나무의 은은한 향과도 같았다. 입구를 지나니 널찍한 공간이 펼쳐졌고, 한쪽 벽면을 가득 메운 유리창으로는 따사로운 햇살이 비쳐 들어왔다. 복잡한 거리와 달리 그곳은 책장 사이사이로 걸어가는 사람들의 조용한 발소리만 들려올 뿐이었다. 서점 중앙에는 최신 베스트셀러와 인기 서적들이 진열된 커다란 테이블이 있었다. 경제 서적은 서점의 오른쪽 구석, 약간은 외딴곳이었고, 경제학, 재테크, 경영 서적들이 꽂혀 있었다.

책장을 따라 걸어가며 손가락으로 책 제목을 하나하나 살펴보며 쓸어내리면, 표지의 질감과 함께 그 향기가 더 강하게 퍼졌다. 책장을 따라 이어진 긴 책상들에는 이미 몇몇 사람들이 앉아 있었다. 책상은 넉넉하게 배치되어 있어 다른 사람들과의 간격이 적당히 떨어져 있었고 작은 스탠드가 있어, 각자 필요한 만큼 빛을 조절할 수 있었다.

서점의 고요함 속에서 페이지를 넘기는 소리와 누군가의 펜이 종이를 긋는 소리가 희미하게 들려왔다. 그들은 노트북을 펼쳐놓고 메모를 하거나, 책을 펼쳐 깊이 몰두한 모습이었다. 그 모습을 보며 나 역시 이곳에 앉아 경제 서적을 탐독하고 싶은 욕구가 일었다. 각양각색의 표지와 제목들이 유혹하던 중, '돈을 다루는 방법'이라는 제목의 책이 눈에 들어왔다. 나는 마저 두 권의 경제 서적을 골라 들고 그들 사이에 자리 잡았다. 책상에 앉아 책을 펼치니, 마치 숲속 깊은 곳에서 풍기는 흙냄새처럼 따뜻하고도 편안한 느낌을 주었다.

책을 펼치자 첫 장에 적혀있던 문구가 나를 사로잡았다. "지금 당장이라는 것에 현혹되면 돈을 담을 수 있는 크기는 이미 정해져 있다." 그리고 첫 페이지를 넘기니, 복잡한 경제 용어들이 눈에 들어왔지만, 이내 흥미와 호기심으로 다음 장으로 넘겼다. 그렇게 한 페이지 한 페이지 넘길 때마다 돈의 흐름을 이해하고, 자산을 관리하는 법을 배워야겠다는 의지는 점점 확고해졌다. 저자는 돈을 다루는 능력은 결국 많이 다뤄봐야만 향상된다고 말했다. 첫 번째 교훈은 사람마다 다룰 수 있는 돈의 크기가 다르다고 설명했다. 이는 각자 다른 바다 배를 가지고 있는 것과 같았다. 내가 할 수 있는 일은 최대한 배를 크게 만들고, 그 안에 최대한 많은 돈을 담을 수 있도록 노력하는 것이었다.

돈을 다루는 능력은 경험에서 온다는 것을 배웠다. 저자는 돈을 관리하고 투자하는 다양한 방법을 설명하며, 이를 통해 능력을 다루는 방법을 소개했다. 돈은 그 사람을 비추는 거울이라고 했다. 이는 내가 돈을 어떻게 사용하느냐에 따라 내 본 모습인 나의 가치관과 철학이 드러난다는 뜻이었다. 돈에 대한 죄악감을 버리라고 조언했다. '솔직해지자!, 돈을 먼저 배우고 마음을 배워도 늦지 않다.' 성공한 사람만이 '돈은 나중에 뒤따라온다' 말을 해야 맞는 것이다.

연 수입은 내가 결정한다는 말도 강조했다. 잠재의식의 중요성을 설명하며, 급여는 받는 것이 아니라 버는 것이라고 했다. 나는 이 말을 이해하며, 취직할 직장에만 의존하지 않고 스스로 수입을 만들어가는 방법도 고민해야 했다. 한 손에는 해양법 책을 들고, 다른 손에는 경제학 서적을 쥔 채, 이 두 가지를 병행하며, 밤낮으로 기숙사 책상 앞에 앉아 공부에 매진했다.

마침내, 졸업장과 함께 해기사 자격증을 손에 쥐고, 대양을 향해 떠날 준비가 되었다. 바다에 대한 열망과 함께, 돈을 빨리 벌어 가난에서 벗어나고 싶었다. 일반 원양어선은 봉급이 낮았지만, 다랑어 원양어선, 흔히 참치 배로 불리는 이 배는 급이 제법 달랐다. 최우수 조업으로 꼽히며, 바다에 나가 있는 동안 목돈을 마련할 수 있었다.

다랑어 원양어선에 승선하기 전에, 선장과의 면접이 앞두고 있었다. 부두의 선장실은 바닥이 미끄러워서 조심스레 걸음을 옮겼다. 선장은 날카로운 눈빛으로 나를 바라보며 질문을 던져댔다. "긴 항해 중 어떻게 팀의 사기를 유지할 건가?"

나는 과거 항해 중 겪었던 이야기와·함께, 팀의 사기를 유지하기 위한 전략을 설명했다. "저는 항상 긍정적인 태도를 유지하고, 명확한 지시를 통해 팀이 저를 신뢰할 수 있게 합니다. 또한, 작업을 제시간에 완수하면 소정의 보상을 주거나 성과를 인정해줍니다. 가장 중요한 건, 어려운 상황에서도 침착함을 잃지 않는 겁니다"

그다음 질문은 항해 기술과 관련된 것이었다. "항해, 차트 작성, 경로 설정 경험은 얼마나 되는가?"

"저는 해기사 자격증을 소지하고 있으며, 여러 항해 코스를 수료했습니다. 다양한 항해 경로를 설정하고 차트를 작성한 경험이 풍부합니다. 그리고 항상 예보를 확인하고, 비상 계획을 작성합니다. 추가로 비상용품 준비와 함께 모든 승무원이 대비할 수 있도록 교육합니다"

면접이 끝난 후, 나는 승선 허가를 받았다. 며칠 후, 배가 출항 준비를 마치는 동안, 나는 갑판을 오가며 장비들을 꼼꼼히 점검했다. 참치배에 탄 자신을 비웃으며 장난치던 친구들의 얼굴이 스쳐 지나갔다.

'정말 참치를 잡으러 가네.'

고등학교 시절 친구들의 장난이 현실이 된 지금, 세상은 참 아이러 니했다. 말에는 힘이 있구나. "세상은 정말 이해할 수 없는 곳이야, 이 바닥으로 치닫는 현실 속에서 언제 반등이 올까."

 "아빠의 주식처럼 바닥을 찍는 내 삶이 언제쯤 반등할지 몰라도. 낚 싯바늘에 걸린 물고기만은 되지 말자."

 항구에 들어서니, 길게 뻗은 선체가 위풍당당한 모습으로 나를 기다 렸다. 배의 외벽은 바다의 염분에 의해 약간의 녹슬었지만, 그만큼 오 랜 시간 바다와 함께해온 것을 증명하는 훈장 같았다. 높이 솟은 돛 대는 하늘을 찌를 듯하며, 바람이 불 때마다 깃발이 펄럭였다.

 배의 위풍당당한 이미지는 그 자체로도 압도적이지만, 각종 장비와 기계들이 조화롭게 배치된 모습 또한 인상적이다. 질서 정연하게 배 치돼있는 크레인과 그물들만 보더라도 선원들이 효율적으로 작업할 수 있는 환경이었다. 다랑어 원양어선은 길이가 대략 50~60m 정도였 고, 20명에서 30명의 선원이 함께 생활했다. 총 세 개의 층으로, 아래 층은 숙소와 주방, 중간층에는 작업장과 냉동창고, 그리고 상층에는 조타실과 휴게실로 구성을 이뤘다.

선원들이 거주하는 아래층 숙소는 1인 실이라 침대가 차지하는 공간이 커서 불편했지만, 어찌 보면 아늑하기도 했다. 침실을 나와 좁은 복도는 어둡고 긴장이 감도는 분위기를 자아내고 소금 냄새가 코끝을 찔렀다. 주방에서는 갓 조리된 식사의 향기가 풍기며, 요리사의 화려한 손놀림으로 다양한 조리 도구들이 부딪치는 소리가 들리곤 했다. 냉동창고는 한기가 감도는 공간으로, 거대한 냉동고들이 줄지어 서 있으며, 내부에 들어서면 얼음 결정이 피부에 닿는 듯한 차가움이 느껴진다. 참치를 환영하는 매우 중요한 공간이었다. 상층의 조타실은 모든 항해의 중심지로, 선장의 명령이 울려 퍼지는 곳이다. 커다란 창문으로 드넓은 바다가 보이며, 선장은 날씨의 변화를 피부로 느끼고, 파도 소리가 창을 두드리는 소리를 누구보다 쉽게 들을 수 있었다. 휴게실은 선원들이 잠시나마 휴식을 취하는 곳으로, 편안한 의자와 작은 테이블들이 여기저기 어질러 놓여 있다. 그곳을 갈 때면, 담배 연기가 천장을 향해 피어오르고, 카드 게임을 즐기는 선원들의 웃음소리와 대화가 공간을 채우곤 했다. 원양어선은 또 하나의 작은 세계가 되어, 매일같이 새로운 이야기가 꽃피웠다.

조업 기간은 보통 6개월에서 9개월 정도로 길다. 바다 위에서의 생활은 고단하고 힘들지만, 그만큼의 보상도 따른다. 해양대에서 배운 기술과 지식을 총동원해 나는 이 배에서 살아남아야 했다.

출항한 지 일주일이 지났다. 날씨는 점점 거칠어졌고, 파도는 높아졌다. 선원들은 모두 각자의 역할을 묵묵히 해내던 와중, 선장은 무전을 통해 큰 다랑어 떼를 발견했다고 전했다. 모두의 눈이 번뜩였고, 곧바로 작업 준비에 들어갔다. 선망은 큰 그물을 이용해 참치 떼를 둘러싸는 방식으로, 한 번의 작업으로 많은 양의 참치를 잡을 수 있었다.

그물이 바다에 내려지자, 우리는 배를 움직여 참치 떼를 그물 안으로 몰아넣었다. 참치 떼가 그물 안에 갇히자마자, 우리는 그물을 서서히 조였고 참치들은 그 안에서 몸부림쳤다. 우리는 힘을 주어 그물을 당기며, 참치들이 점점 가까이 다가오는 것을 느꼈다. 참치를 한 마리씩 끌어올릴 때마다, 내 가난한 과거를 하나씩 벗어던지는 기분이었다.

참치를 포획한 후에는 신속한 처리가 필요했다. 그들은 차례로 배 안의 작업대로 옮겨졌고, 선원들은 칼을 이용해 아가미를 자르고 내장을 꺼냈다. 이 과정에서 참치의 몸에서 따뜻한 붉은 피가 나오며, 작업실을 흥건히 적셨다. 그런 다음 그들은 급속 냉동실로 옮겨져 신선한 상태로 보관되었다. 급속 냉동실은 참치를 -60도 이하로 급속 냉동시켜 신선도를 유지하는 장치로, 참치의 품질을 보장하는 매우 중요한 역할을 했다.

작업이 끝나고 배 위에서 거친 바람을 맞으며 동료와 이야기를 나누었다.

"기봉아, 여기 생활은 어때?" 동료가 물었다.

"힘들지만, 돈이 되니까 참을 만해," 나는 대답했다. "이 생활이 계속되면, 나중에는 꽤 큰돈을 마련할 수 있을 것 같아. 우선 아빠 빚부터 갚아드려야지."

한 달에 500만 원, 다른 배의 두 배 가까운 보수였다.

"이래서 사람들이 참치 배에 오는구나," 나는 동료와 이야기를 나누며 웃었다. "돈이 되니까 말이야."

새벽 4시, 또 작업이 시작됐다. 기상나팔이 울리고 선원들은 모조리 갑판 위로 올라왔다. 갑작스러운 기상으로 파도 소리에 귀가 먹먹하고, 비린내가 코를 찔러 토할 것 같았다. "야, 기봉아! 빨리 좀 움직여!" 선장의 고함이 들려왔다.

"예, 선장님!" 나는 온몸에 힘을 주며 그물을 당겼다. 어깨는 한이 맺힌 귀신이 달라붙은 것처럼 무거워졌고 손바닥은 쫙쫙 갈라졌다. 바다 위에서의 생활이 길어질수록, 선원들과의 유대감도 깊어졌다.

몇 달이 지나고, 우리는 마침내 항구로 돌아왔다. 주머니 속의 급여 봉투를 꺼내 들며 떨리는 손으로 봉투를 열어보았다. 그 안에는 내가 상상했던 것보다 더 초록 초록한 배춧잎이 봉투를 꽉 메웠다. 처음으로 만져보는 이 많은 돈 앞에서 심장이 쿵쾅거렸다. 아르바이트로 번 돈은 금세 사라져버렸으나, 이번엔 그 묵직함이 확실히 달랐다. 봉투 속에서 지폐를 한 장 한 장 꺼내어 손끝으로 느꼈다. 그 순간, 해기사 자격증 공부, 선장과의 면접에서의 긴장감, 배 위에서의 힘든 작업과 갑판을 오가며 장비를 점검했던 순간들이 한꺼번에 떠올라 가슴이 벅차올랐다. 지금 내 손안에 있는 이 돈으로 보상받고 있다는 사실이 너무도 자랑스러웠다.

하지만, 한편으로는 젊은 나이에도 불구하고, 체력과 정신력은 바닥으로 떨어지고 있었다. 육지에 온 지, 한 달이 지나자 이곳저곳 몸이 쑤셨다. 그리고 참치 배가 다시 부두에 들어섰다. 출항 후, 몇 달 동안 잠도 제대로 자지 못하고, 식사마저 거르기 일쑤였는지 몰라도 반복되는 출항에 결국, 쓰러지고 말았다.

"기봉아, 괜찮아?" 동료가 걱정스러운 눈빛으로 나를 바라보았다.
"이젠 못 버티겠어. 나, 이 배에서 내려야겠어."

동료는 나의 말을 듣고 한숨을 쉬었다. 그는 내 어깨를 가볍게 두드리며 위로하려 했지만, 이곳에서는 누구나 신체적, 정신적 한계가 명확하다는 점을 알았다. 심지어 심리적으로도 연애, 결혼, 삶의 기본적인 부분들조차 사치였기에 고독함과 외로움이 사무쳤다. 승선한 선원들은 대부분 미혼이었고, 그들 중 상당수는 오랜 시간 동안 바다에서만 생활했다. 바다 위에서는 어떠한 감정이나 욕망을 드러낼 여유가 없었다.

"기봉아, 이 배에선 다들 같은 처지야. 바다는 우리를 그렇게 만들지!" 동료 중 한 명이 나에게 말했다.

"여기서 사랑이란 건 사치야." 또 다른 선원이 말했다. "우리가 돌아가면, 그때 가서야 비로소 누군가를 만날 수 있을지 모르지. 하지만, 이미 늦어버린 경우가 많아."

"배에서는 감정이라는 걸 내려놓는 게 좋아." 동료가 다시 말을 이었다. "여기서는 오로지 살아남는 것만이 중요해.", "네가 그렇게 결정했다면 어쩔 수 없지. 하지만, 기봉아, 이건 네가 잘못한 게 아니야. 여기서 살아남는 건 원래 힘든 일이야."

밤이 되어, 몸이 조금 나아지자, 좁은 선실로 돌아갔다. 그곳에서 혼자만의 시간을 가지며 깊은 생각에 잠겼다. 그러자, 육지에 있는 가족이나 친구를 향한 그리움이 한꺼번에 몰려왔다.

그때 "쿵, 쿵," 무거운 발걸음 소리가 선실로 점점 가까워졌다. 한껏 예민했던 나는 누워있는 좁은 침대 위에서 몸을 뒤척였다. 발소리가 문 앞에서 멈추자, "똑똑," 노크 소리가 들렸다.

"들어와도 되겠나?" 그의 굵고 낮은 목소리가 문 너머에서 들려왔다. 그리고 내가 답하기도 전에, 문이 "끼익" 소리를 내며 천천히 열렸다. 선장이 무거운 몸을 밀어 넣으며 좁은 문 틈새로 들어오는 모습이 보였다. 문이 완전히 열리자, 그는 나를 바라보며 깊은 한숨을 내쉬었다. "기봉아, 이 배에서 내리는 거로 결정한 거냐?"

"네, 선장님. 더는 못 견디겠어요."

선장은 조용히 고개를 끄덕였다. "알겠다. 꼰대 같지만, 한 가지 조언을 해주고 싶네. 여기서 오랫동안 버틴 사람들도 많아. 그런데, 그 사람 중에도 집 한 채 없는 사람이 수두룩하거든. 왜 그런지 아나?"

나는 그의 뜬금없는 조언에 고개를 힘없이 저었다.

"돈은 벌기만 하는 게 아니라 쓰는 법도 알아야 한다. 가족들이나 친척들에게 빌려주기만 하고, 자기 자신을 돌보지 않으면 결국 셔틀이 되고 말아. 육지로 가더라도 절대로 만났던 선임자와 금전 거래는 하지 마라."

"선장님, 감사합니다. 저는 이제 새로운 길을 찾아야 할 것 같습니다."

선장은 나를 바라보며 미소 지었다. "잘 선택했다, 기봉아. 너 자신을 잃지 않고 때를 기다릴 줄 아는 사람만이 크게 될 수 있어. 너는 분명히 더 나은 미래를 찾을 수 있을 거야."

참치 배를 타면서 손에 쥔 것은 4,000만 원. 그중 일부는 아빠의 사채 이자를 갚았고, 2,500만 원은 편의점을 차리는 데 썼다.

"어서 오세요."

이제는 남해가 아닌 서해 앞, 파도 소리가 들리는 작은 마을에 자리한 나의 편의점은 프랜차이즈 이름이 큼직하게 적힌 간판 아래 문을 열었다. 해가 지면 바다에서 불어오는 서늘한 바람과 함께 편의점 안은 고요함으로 가득 찼다. 밤에는 가끔 야간 아르바이트생을 두긴 했지만, 대부분 직접 카운터를 맡으며 하루를 보냈다.

손님들을 맞이하며 선장님의 어깨너머로 배운 것들을 떠올렸다. 낚 싯대의 종류와 특성, 각기 다른 미끼의 사용법, 그리고 낚시할 때의 팁과 요령들.

마치 바다에서 물고기를 낚아채듯, 이제는 주식 시장에서 기회를 잡 기 위해 준비했다. 낮에는 편의점 일을 하고, 밤에는 컴퓨터 앞에 앉 아 경제 관련 서적과 인터넷 강의를 들었다. 생각해보면, 내가 직접 나갔던 바다보다 더 거대한 경제 바다에 본격적으로 낚싯대를 드리우 는 것 같았다. 거시경제 흐름을 이해하려 애쓰고, 금리와 환율의 변동 을 분석하며, 안전자산과 투자자산의 차이를 익히는 일은 어부가 만 선 하는 것만큼이나 어려웠다.

"아버지도 주식으로 망했지만, 인생은 새옹지마 아니겠어, 나라고 똑 같이 되진 않을 거야" 스스로 되뇌며, 주식의 위험성도 인지하고 있었 다.

편의점을 운영하는 4년 동안 1,000만 원 낚싯대를 들고 작은 물고기 도 낚아보고, 큰 고기를 놓쳐보기도 했다. 시기에 따라 달랐지만, 고 기가 한참 모여드는 유동성과 그에 따른 변동성을 직접 체험했다. 낚아챌 때의 흥분과, 놓칠 때의 절망을 모두 경험하며, 점점 더 노련한 투자자가 되어갔다. 낮에는 편의점의 바쁜 일상 속에서도 틈틈이 주식 시장을 점검했고, 밤에는 늦은 시간까지 돈과 경제 공부를 게을리하지 않았다.

제3화 강태공과 만남

참치잡이 배의 생활은 고되었지만, 배울 점이 많았다. 특히 선장님과의 대화는 나에게 큰 깨달음을 주곤 했다. 참치를 잡으러 나가는 중에 잠시 쉬는 시간이 주어졌다. 선장님은 덱에 앉아 담배를 피우고 있었고, 나를 향해 손짓했다.

"여기 와서 앉아봐라," 그의 얼굴은 거친 바다의 풍랑을 이겨낸 듯한 주름으로 가득했고, 거친 손을 가진 분이었다. 굵은 은발이 어깨까지 흐르고, 검게 그은 피부는 오랜 시간 바다 위에서 지낸 세월을 말해주었다. 언제나 낡은 밀짚모자를 쓰고 있었고, 해진 회색의 뜨개옷과 바람에 잘 마모된 청바지를 입고 다녔다. 담배를 피울 때마다 그의 손가락 사이로 바다 냄새와 타르 냄새가 번갈아 스며들어 나는 듯했다.

선장님은 한참을 말없이 바다를 바라보더니, 조용히 입을 열었다.

"기봉아, 강태공 이야기를 들어본 적 있니?"

"예, 들었습니다. 강태공은 인내심의 상징이죠."

"우리도 마찬가지다. 자신의 인생에서도 때를 기다릴 줄 알아야 하는 법. 그게 바로 고수야." 선장님은 담배를 한 모금 깊게 빨았다.

"흔히 원양어선을 탄 사람들을 비하하고 안 좋게 보는 경향이 있지. 근데 왜 내가 이 짓을 계속했는지 아니?"

나는 무슨 말을 해야 할지 몰라 입을 다물었다. 그러자, 선장님은 말을 다시 이어갔다. "참치를 잡는 일은 정말 힘들어. 하지만, 고된 노동을 하면서도 언젠가는 좋은 기회가 올 거라는 믿음이 있어야 해. 그게 어부의 마음이고 강태공의 지혜야."

급한 마음에 당장 돈을 벌려고만 했을 뿐, 때를 기다려야 한다는 마음을 가져본 적은 없었다. "선장님, 저도 언젠가 바다에서 좋은 기회를 잡아내고 싶어요. 하지만, 횟집 수족관에 갇힌 물고기처럼 살고 싶지 않아요. 당장 돈을 벌고 싶었어요. 그래서 원양어선에 일단 올라탄 것입니다."

"그래. 알지. 면접은 형식상으로 대답하는 것이니까. 기봉아, "돈이 중요한 건 맞지. 하지만 네가 알아둬야 할 게 있어." 선장님은 잠시 말을 멈추고 담배를 껐다. "너희 세대는 우리가 겪은 세월과는 다른 환경에서 자라나고 있어. 그때는 금리가 7% 이상이다 보니, 예금만 해도 꼬박꼬박 이자가 나왔지. 재테크라는 개념이 딱히 없었어. 저축과 예금이 전부였으니까." 선장님은 천천히 미소를 지었다.

나는 고개를 끄덕였다. 아버지의 이야기를 들으면서 이미 알고 있던 내용이었다.

"하지만, 대한민국은 폭풍 성장과 함께 사회적으로는 많은 문제가 도사리지만, 경제력만큼은 선진국 기조에 맞추고 있지. 모든 나라는 빚을 지고 성장하려고 해. 인플레이션을 활용해 경제를 키우기 위해서 저금리 시대로 가고 있지." 선장님은 멀리 수평선을 바라보며 말을 이었다. "물론, 디플레이션이 오지 않는다는 보장은 없지만, 예금과 월급만으로는 부를 축적하기 어렵다. 너도 알다시피, 좋은 빚과 레버리지를 활용해 자산을 불리는 게 더 중요한 시대가 온 거야."

고된 노동 끝에 쌓인 피로가 한꺼번에 몰려왔지만, 그의 말은 내 머릿속을 계속 맴돌았다.

"기봉아, 너는 젊으니까 많은 것을 시도해봐야 해. 이 배에서도 배우는 게 많겠지만, 언젠가 너도 네 길을 찾아야지."

당시, 대한민국은 저금리 시대로 접어들고 있었다. 경제적으로 말하자면, 저금리 시대에는 소비와 투자를 촉진하기 위해 중앙은행이 금리를 낮추는 정책을 사용한다. 이렇게 하면 대출이자가 줄어들어 사람들이 돈을 빌려 소비하거나 투자를 늘리게 된다. 이로 인해 경제는 활성화되지만, 저금리 기조를 오래 유지하면, 자산 가격 거품 현상이 일어난다. 그러므로 물가상승률과 인플레이션 기조에 맞춰 경제를 성장시키면, 실질 구매력이 유지되고 경제 전반에 걸친 투자와 소비가 균형을 이룰 수 있다. 대한민국도 이러한 기조에 따라 수출에서 이득 본 대기업들의 세금과 나랏빚을 지면서 SOC 사업을 주도했다.

시민들은 슬슬 돈을 빌려 부동산을 사거나 주식, 채권 등에 투자해야 한다는 관념도 생기기 시작할 때였다. 그러나 아무리 좋은 빚이더라도 위험이 따르기 마련이다. 배보다 배꼽이 큰 상황이 되는 경우도 많다. 특히, 좌파의 포퓰리즘 정책은 단기적인 경제 활성화로 정치인들이 인기몰이할 수 있지만, 장기적으로는 경제의 건강성을 해칠 수 있다. 지나친 복지 지출이나 과도한 공공부문 확대는 국가 재정에 부담을 주기 때문이다. 이를 위해 정부는 신중한 재정 정책과 금리 정책을 통해 경제를 조율해야 한다.

선장님은 말을 이어갔다. "기봉아, 낚시와 투자, 둘 다 똑같은 거야. 민물낚시와 바다낚시는 서로 다른 기술을 요구해. 투자에서도 그 상황에 맞는 전략이 필요하다는 말이다. 낚싯대는 네 투자금과 같아. 좋은 낚싯대를 가지고 있으면 큰 고기를 낚을 확률이 높아지는 것처럼, 충분한 투자금을 가지고 있으면 더 큰 기회를 잡을 수 있지."

나는 선장님의 말을 들으며 고개를 끄덕였다.

"하지만," 선장님은 목소리를 낮췄다. "너무 조급해하지 마라. 빠르게 고기를 낚아채는 게 꼭 좋다고만 볼 수없다. 단기투자나 스켈핑은 마치 얼음낚시와 같지. 구멍에 미끼를 던지면, 금방 낚을 것 같지? 그러나, 그 구멍에서 계속 고기가 나올 거란 보장은 없어. 잠깐의 성과에 집착하다가는 큰 손해를 볼 수도 있어."

"선장님, 그럼 언제가 제일 좋은 타이밍인가요?" 내가 물었다. "계속 때를 기다리기만 하면 되는 건가요?"

선장님은 입꼬리를 살짝 올리며 웃었다. "항상 하락만 하는 인생은 없어. 네가 지금 힘든 상황이라 마음이 조급한 건 알아. 하지만 바다도 그렇고, 인생도 그래. 결국엔 V자로 반등이 오는 구간이 나타날 거야. 네가 낚아채려는 물고기도 올바른 투자습관을 먼저 기른다면, 언젠간 네 손에 들어오게 돼 있어. 그러니, 급할수록 돌아서 가라. 먼저 네 실력을 꾸준히 길러야 해. 그러려면, 많이 도전해봐야겠지?"

선장님과의 대화는 깊어졌다. "기봉아, 낚시에는 정말 많은 종류가 있어. 루어 낚시는 마치 주식의 스윙 트레이딩과 같아. 그건 주가가 오르내리는 타이밍을 빠르게 잡아내는 것과 같아."

나는 그의 말을 들으며 고개를 끄덕였다. 루어 낚시는 하천의 흐름을 읽어내는 것이 중요한 낚시였다.

"또한, 바다낚시는 공간의 이동이 중요해. 물고기들이 모이는 포인트를 찾아다녀야 하지. 이건 다양한 시장과 섹터를 분석하고 그중에서 기회를 찾아다니는 것과 같아. 한 곳에 머물러 있으면 안 돼. 다양한 정보와 지표를 보고 빨리 움직이며, 결단력이 높아야 하지."

나는 물고기가 많은 곳을 찾기 위해 끊임없이 움직이는 어부의 모습이 떠올랐다.

"그리고, 기봉아, 시간대도 중요해. 물고기는 하루 중 특정 시간대에만 잘 잡히는 경우가 많아. 이건 마치 시장의 트렌드에 맞춰서 정확한 타이밍을 포착하는 것과 같아. 주식도 하루 중, 또는 일 년 중 특정 시기에 큰 변동이 있잖아. 그 타이밍을 놓치지 않는 게 중요하지."

"그렇군요, 선장님. 그럼 각각 낚시가 다른 투자 전략과 연관될 수 있겠네요."

"맞아. 그리고 민물낚시와 바다낚시처럼, 투자도 다양한 환경에서 이루어지지. 민물낚시는 고요하고 차분하게 기다리며 낚는 게 중요해. 이건 장기투자를 의미하거든. 주식이든 부동산이든, 긴 시간을 두고 성장할 수 있는 자산에 투자하는 거지."

"반면, 바다낚시는 아까 말했듯이 파도나 기상환경에 따른 변화무쌍한 환경에서 빠르게 반응해야 하지. 이는 단기투자나 스켈핑을 의미해. 포트폴리오를 어떻게 구성할지 잘 생각해보렴."

"또한, 플라이 낚시라는 것도 있어. 이는 미끼를 날려서 물고기를 유혹하는 건데, 마치 광고나 마케팅으로 투자자들을 끌어들이는 것과 같아. 흔히 작전 주식이라고 하더라. 선장님은 각 낚시 기법을 투자 전략에 비유하며 설명했다. 그의 말은 너무나도 설득력이 있었다.

"그럼 선장님, 저는 언제 어부가 될 수 있나요? 그리고 때를 기다리면 정말 만선 할 수 있을까요?" 내가 물었다.

"어부가 되는 것은 어렵지 않아. 단지, 고기를 얼마만큼 많이 낚는 어부가 되냐는 것이 중요하지. 그러려면, 많은 실전을 쌓으며, 자신만의 기법을 만들려는 준비가 필요하지. 급한 마음을 먹지 않고, 때를 기다린다면, 바다의 물결처럼, 인생도 언젠가는 반등이 올 거야. 마지막으로 인생에서 운은 정말 무시할 수 없단다. 낚싯대가 튼튼하고 최고의 비법을 알더라도, 물고기들이 도무지 물지 않는 날이 있다." 가장 중요한 말을 이어나가려다가 호흡이 바빠진 선장님은 잠시 말을 멈추고 생수병을 집어 들었다. 그리고 곧 나를 쳐다보며 입을 열었다.

"물이 너무 따뜻하거나 차가우면 물고기들은 미끼에 관심을 두지 않거나 깊은 곳으로 숨거든. 또한, 주변 환경의 소음으로도 경계심이 많은 물고기는 미끼를 피하기 쉽지. 즉, 행운이 따라주지 않으면 만선의 기쁨까지는 누리기 어렵다는 말이야. 때로는 기술과 노력뿐만 아니라, 그저 천운에 달려 있기도 한 것이다. 네가 모든 외부 상황을 바꿀 수는 없잖니."

"네, 선장님. 저도 그 믿음을 가지고 살아가겠습니다."

"좋아, 기봉아. 너는 충분히 잘 할 수 있을 거야. 만선까지는 아니더라도 복리의 개념이라면 천천히 너만의 양식장을 구축할 수 있을 거야. 이제부터는 네가 그물을 던질 차례야. 인생이라는 바다에서 큰 물고기를 낚아봐!"

남해, 서해, 동해. 각 바다는 수온에 따라 잡히는 어종이 달랐다. 남해는 따뜻한 수온 덕분에 참치, 고등어, 멸치가 주로 잡혔고, 서해는 비교적 얕고 차가운 물 속에서 꽃게, 광어, 농어가 주로 발견됐다. 동해는 깊고 차가운 바다라 명태, 대구, 오징어가 흔했다. 물고기들은 지역과 수온에 따라 서식지가 달라지듯이, 거시경제의 흐름도 지역과 상황에 따라 변화무쌍했다.

또 다른 어느 날, 선장님은 나를 다시 방으로 불렀다. 문을 열고 들어서면, 가장 먼저 눈에 띄는 것은 커다란 창문이었다. 창가에는 여러 해도와 항로가 그려진 지도들이 빼곡하게 붙어 있었고, 책상 위에는 해양 관련 서적들과 각종 항해 도구들이 질서정연하게 놓여 있었다. 방 한쪽에는 낡은 소파와 작은 탁자가 있었고, 바닥은 나무판자로 대칭을 이루지 못하고 삐죽 튀어나온 곳이 종종 있었다.

선장님은 그 소파에 앉아 있었고, 나는 그가 무슨 이야기를 꺼낼지 몰라 조용히 기다렸다. "낚시 말인데," 그는 잠시 말을 멈추고 나를 바라보았다. 선장님은 그때 대화가 재밌었는지 나에게 또 다른 낚시 비법을 가르쳐주려고 했던 것 같았다. 지금 생각해보면, 나를 위해서도 한 말이지만, 직장 상사들이 젊은 사람만 보면 자신의 경험을 이야기하고 싶은 본능이 아니었을까 싶다. 이번에는 태평양과 대서양의 흐름을 들으며, 경제의 복잡한 흐름을 조금씩 이해하기 시작했다.

"기봉아, 바다의 수온이 물고기의 서식을 결정하듯, 환율도 각국의 경제 상황을 반영해 변화한다네. 환율이란, 마치 이 태평양과 대서양의 조류처럼 끊임없이 변동하지. 이 흐름을 잘 읽어야 제대로 된 어획을 할 수 있는 법이야."

금리는 마치 바다의 조류와 같았다. 금리가 오르면 자본은 높은 이자를 찾아 흘러가고, 금리가 내리면 자본은 다른 곳으로 이동했다. 나는 선장의 말을 떠올리며, 편의점에서 경제학 서적을 펴고, 금리를 깊이 공부하기 시작했다. 책을 읽을 때마다, 내 머릿속에는 바다의 조류와 흐름이 하나로 연결되었다.

'금리 인상은 경제를 냉각시키고, 금리 인하는 경제를 자극한다. 이 모든 것은 중앙은행의 결정에 따라 달라진다. 그들의 정책이 마치 바다의 조류를 조절하는 힘과 같아,' 책을 읽어나가니, 선장님과의 대화가 다시 떠올랐다.

"그리고" 선장님이 마지막으로 덧붙였다. "꼭 기억해라, 주식도 차근차근 공부해봐!"

나는 고개를 저었다. "선장님, 저는 주식이 뭔지도 모르겠어요."

선장은 미소를 지으며 고개를 끄덕였다. "그럴 줄 알았다. 하지만 주식이란 게 단순히 돈을 벌기 위한 것만은 아니야. 주식을 하면서 경제, 사회, 역사, 정치까지 배울 수 있는 거야. 돈을 벌고 싶다면, 먼저 돈을 벌 수 있는 경험과 지식을 쌓는 게 중요하지 않겠냐?"

나는 선장의 말에 귀를 기울였다. 그는 이어서 말했다. "주식 투자는 평생 할 수 있는 일이야. 젊을 때 경험과 지식을 쌓아두면, 나중에 나이가 들어서도 경제적 자유를 누릴 수 있단다. 정년퇴직 후에 할 일이 없어 손가락만 까딱거리며 돈을 벌 기회가 주식이야. 사고파는 것에만 집중하지 말고, 지금부터 차근차근 경험을 쌓아보는 게 중요해."

선장은 담배를 한 모금 빨며 말했다. "고니가 평경장을 만나서 바로 기술을 익혔던가? 처음에는 단순히 패를 섞고 감각을 익히는 것부터 시작했지. 주식도 마찬가지야. 경험과 지식이 쌓이면, 나중에 가서 진짜 실력을 발휘할 수 있는 거란다. 그러면 웬만한 젊은이들보다 훨씬 나은 수익을 올릴 수 있을 거야."

"기봉아. 운은 너에게 언제나 기회를 줄 거야. 그 기회를 잡기 위해서는 준비가 되어 있어야 해. 네가 할 일은 그저 인내하고, 준비하고, 기다리는 거다. 그리고 기회가 왔을 때 놓치지 않는 것. 그래야 네가 진짜 어부가 될 수 있는 거야."

"네, 선장님," 나는 진지하게 대답했다. 그의 말은 내 마음을 두드렸다. "저도 꼭 그렇게 할게요. 인내하고, 준비하고, 기다리겠습니다."
"좋아," 선장님은 만족스러운 미소를 지었다. "이제 너도 제대로 배운 거다. 앞으로 네 인생에서 그 교훈을 잊지 말고 살아라."

어느덧 시계의 바늘은 새벽 3시를 가리켰고, 편의점은 너무나 고요했다. 당시, 대한민국은 변화의 물결 속에 있었고, 나 또한 그 변화 속에서 내 길을 찾아가고 있었다. 하지만, 마음 한구석에는 여전히 태풍이 몰아치는 한가운데 작은 배가 요동치듯이 혼란스러웠다.

편의점을 연 지 1주일. 아침에 일어나 출근하며, 내 사업장을 바라봤다. 프랜차이즈 이름이 큼직하게 적힌 간판 아래, 아담한 편의점은 늘 바다의 향기를 머금고 있었다. 해가 지면 바다에서 불어오는 서늘한 바람이 편의점을 감싸고, 멀리서 들리는 파도 소리는 잔잔한 배경 음악처럼 흘러나왔다. 또 편의점 앞에는 긴 방파제가 이어졌고, 그 끝에는 등대가 우뚝 서 있었다. 어두운 밤을 밝히며, 오가는 어부들에게 길을 안내해 주었다. 등대의 빛은 주기적으로 회전하며 편의점 앞을 스쳐 지나갔다. 그 빛이 편의점의 유리창에 반사되어 반짝이는 모습은 마치 바다의 별들이 춤을 추는 것 같았다. 하늘을 나는 갈매기들도 언제나 편의점 위를 자유롭게 맴돌았다. 갈매기들이 모여드는 곳에는 사람들이 새우깡을 던져주곤 했다. 갈매기들의 울음소리와 사람들의 웃음소리가 어우러져 혼란스러운 내 마음에 가끔 여유를 주었다.

편의점 바로 옆에는 작은 벤치가 있었고, 그곳에 앉아 있으면 방파제와 등대, 그리고 끝없이 펼쳐진 서해의 전경이 한눈에 들어왔다. 이곳은 해 질 무렵이면 붉게 물든 하늘과 바다가 만나는 지점에서 아름다운 노을을 감상할 수 있는 명소였다. 바다를 바라보며 커피를 마시는 손님들, 아이스크림을 들고 웃는 아이들, 그리고 피곤한 어부들이 잠시 들러 땀을 식히는 공간이었다. 편의점 내부는 깔끔하고 아늑하게 꾸몄다. 선반에는 다양한 씹을 거리 상품들이 정돈되어 있었고, 카운터 옆에는 바다를 테마로 한 소품들을 배치했다.

내 편의점 주위로는 바다에서 갓 잡아 온 생선을 판매하는 코너도 있었고, 해안가에서 직접 채취한 소라와 조개를 이용한 즉석요리 코너도 있었다. 밤이 되면 등대의 빛과 함께 편의점의 네온사인이 켜지며, 어둠 속에서도 환하게 빛났다.

한 달이 지나고, 여러 개의 파라솔이 펼쳐진 간이 탁자들을 야외에 설치했다. 어느 날, 밖을 나가보니, 간이 탁자 위에는 소주병들과 안주들이 어지럽게 놓여 있었고, 그 주변으로는 시원한 바닷바람과 함께 소주잔을 기울이는 사람들이 삼삼오오 모여들었다.

등대가 서서 초록 불빛을 주기적으로 깜빡이며 밤바다를 비췄고, 새벽 2시임에도 30대 중반으로 보이는 십여 명의 남자가 삶의 희로애락을 나눴다. 안주는 주로 우리 편의점에서 구매한 것들이었다. 오징어채와 땅콩, 치즈 스틱, 그리고 각종 컵라면이 작은 탁자 위를 가득 채웠다. 또 어떤 사람들은 김치와 삼겹살을 싸서 가져와 지글지글 소리를 내며 프라이팬에 굽기도 했다. 바다 냄새와 섞인 고소한 고기 냄새가 코끝을 자극하며 입맛을 돋우었다. 남자들은 소주잔을 들고 이야기를 나누기 시작했다. 자연스레 주제는 여자 이야기로 흘러갔다.

"요즘 대한민국에서 여자들이 인식이 많이 올라오긴 했지만," 한 남자가 담배를 피워 물며 말을 꺼냈다. "결혼 시장에서는 여전히 어려운 점이 많아. 특히 남자들이 중소기업 다니면, 결혼은 꿈도 못 꾼다는 말이 있잖아. 최소 공무원 이상이어야 여자들이 만나준다니까?"

다른 남자가 고개를 끄덕이며 동의했다. "맞아, 데이트 비용이나 결혼 자금은 여전히 남자가 7:3 정도 부담해야 하잖아. 우리가 버는 월급이 얼마나 된다고. 그런데도 돈이 없으면, 결혼을 못 하는 나라니까 참 웃기는 상황이지."

"그렇지, 그래서 다들 어떻게든 추가 수입원을 찾아야 해." 한 친구가 소주병을 들어 잔을 채우며 말했다. "근데 지금처럼 저금리 기조가 계속되면 주식에 관심을 안 가질 수가 없어. 은행에 돈 넣어봤자 이자도 안 나오는데, 주식이든 뭐든 해야지."

"나는 결혼 포기했어. 몇 년 뒤에는 출산율도 바닥이지 않을까?"

남자들이 모이면 빠질 수 없는 여자와 결혼 이야기가 끝나고, 자연스럽게 투자 이야기가 뒤를 이었다. "그나저나, 이번에 K-바이오 주식이 대박 났다고 들었어? 친구가 그거 샀다가 두 배로 벌었다더라!" 한 사람이 소주잔을 기울이며 말했다.

"진짜? 나는 그동안 IT 쪽에만 투자했는데, 바이오도 한 번 봐야겠네." 다른 사람이 고개를 끄덕이며 응답했다. 그들의 이야기에 흥미가 생긴 나는 자연스럽게 그들의 대화에 귀를 기울였다. "그 K-바이오, 이번에 신약 승인받으면서 급등했잖아. 나도 조금 넣어놨는데, 지금쯤 팔아야 하나 고민 중이야."

"오, 역시 안목이 있네!" 한 사람이 나를 보며 웃었다. "근데, 국내 주식은 변동성이 커서 조심해야 해. 난 미국의 안정적인 고 배당주를 선호해."

"맞아, 나도 그런 쪽으로 가려 했는데, 이번엔 좀 더 공격적으로 가볼까 생각 중이야."

"주식도 낚시랑 비슷하잖아요. 떡밥을 잘 던져야 큰 고기를 낚을 수 있죠." 나는 자연스럽게 그들 옆으로 서서 대화에 끼어들며 말했다. 그 순간, 테이블에 앉아 있던 모두가 웃음을 터뜨렸다.

"맞아요, 맞아요." 한 남자가 크게 웃으며 말했다. "여기 편의점 주인이시죠? 아까 술이랑 담배 사러 갈 때 봤었네요."

"네, 맞아요." 나는 살짝 미소를 지으며 고개를 끄덕였다. 그리고 테이블 끝에 자리한 빈 의자를 손으로 가리켰다. "합석해도 될까요?" 나는 조심스럽게 물었고, 그들은 환영의 미소로 맞아주었다.

"물론이죠, 앉으세요."

자리에 앉자마자, 그들은 소주병을 집어 들어 가볍게 흔들어 보고, 작은 종이컵에 천천히 소주를 따라 주었다.

"제가 해양대 나왔거든요. 바다낚시랑 민물낚시는 투자랑 비슷한 점이 정말 많더라고요. 낚싯대는 투자금이고, 미끼나 떡밥은 종목 선택. 물고기를 기다리는 것도 중요하고, 끌어올려 낚아채는 타이밍도 잘 잡아야 하는 것도 비슷하고."

"그럼 포트폴리오는 어떻게 구성하고 있어요? 햇지 수단은 따로 마련해뒀나요?"

잠시 머뭇거린 나는 솔직하게 말했다. "사실, 아직 공부가 부족해서....

실전 경험도 적고요. 주식에 대해 기본적인 것은 알고 있지만, 구체적인 포트폴리오나 전략까지는 잘 모르겠어요."

그들은 고개를 끄덕이며 말했다. "뭐, 누구나 처음엔 다 그래요. 나도 처음엔 많이 잃었죠. 중요한 건 꾸준히 공부하고, 경험을 쌓아야 한다고 생각해요. 지금은 어떤 종목에 관심이 있어요?"

나는 고개를 숙이며 말을 이었다. "대부분 대형주 위주로 보고 있어요. 삼성전자나 현대차 같은 안정적인 종목을 선호하는 편이에요. 어떤 종목이 진짜 좋은 선택인지는 자신이 없어서...."

그들 중 한 명이 미소를 지으며 말했다. "주식 시장은 항상 변하기 때문에 시드에 따라서 다양한 종목에 분산투자하는 것도 괜찮아요. 그리고 미국 시장이나 채권도 공부해보는 게 좋겠네요. 해외 시장은 우리 시장보다 더 큰 기회가 많고, 채권은 안정적인 수익을 줄 수 있어요."

나는 다시 한번 고개를 숙이며 답했다. "아직은 국내 주식도 잘 모르겠어요. 먼저 국내 주식을 제대로 이해하고 나서 해외 시장이나 채권

쪽도 차차 공부해보려고요."

대화는 밤이 깊어질수록 더 활기를 띠었다. 투자에 대한 열정과 경험을 나누며 우리는 서로에게 배워갔다. 갈매기들의 울음소리와 멀리서 들려오는 파도 소리가 어우러져, 이 작은 편의점 앞의 간이 탁자는 마치 작은 주식 토론회장이 된 것 같았다. 떠들썩하던 그들이 자리를 뜨자 편의점 불빛은 희미하게 깜빡이며 조용한 공간을 은은하게 밝혔고, 방파제 너머로 들려오는 파도 소리가 유난히 크게 들렸다.

편의점의 정적 속에서, 종잣돈에 따른 투자 포트폴리오를 작성해봤다. 그리고 정리된 투자 계획을 보니, 머릿속은 점점 더 복잡해졌다. 마치 바다 위에서 방향을 잃고 떠도는 배처럼, 투자와 재테크에 대한 지식이 아직 부족했다. 그래서 아까 만난 사람들에게 정보를 얻었던 것처럼, 투자라는 미지의 세계에서 방황하는 나의 여정을 많은 이들과 공유하고 싶었다. 동시에, 내 방송에서 누군가가 더 나은 결정을 할 수 있다면 그걸로도 만족스러웠다. 처음으로 'LIVE' 버튼을 누르던 그 순간, 내 심장은 두근거렸다. 화면에 비친 얼굴은 긴장과 설렘이 뒤섞여 있었다. "안녕하세요, 여러분. 오늘은 종잣돈으로 어떻게 투자

포트폴리오를 구성할지에 대해 이야기해보려고 합니다." 내 목소리는 떨렸지만, 다행히도 사람들은 크게 관심을 가지지 않아서, 단골로 들어오시는 두 분만이 채팅창에 목소리를 냈다.

어느새 10명 가까이 늘어난 시청자들은 나와 비슷한 고민을 나누며 서로를 격려했다. "실패를 두려워하지 말고, 작은 성공을 쌓아 나가다 보면 어느새 큰 성취를 이루게 될 거예요."

시간이 흘러, 화면에는 방송을 시작한 지 1년이 넘은 스트리밍 채널의 대시보드가 떴다. 몇 명 없던 구독자가 이제는 제법 늘어나 100명이 되었다.

"안녕하세요, BJ 기봉의 경제 교실에 오신 것을 환영합니다." 나는 익숙한 인사말로 방송을 시작했다. 채팅창에도 눈에 띄는 아이디들이 인사말을 남겼다. "안녕하세요, 기봉 님." "오늘도 좋은 정보 부탁드려요."

낮에는 편의점에서 일하고, 밤에는 이렇게 방송을 하며 경제를 공부했다. 오늘은 최근의 금리 인상, 미국 주식 시장의 동향과 환율 변동이 주제였다.

"최근 금리 인상이 주식 시장에 어떤 영향을 미쳤을까요?" 나는 질문을 던졌다. 채팅창이 활발하게 움직이기 시작했다. 다양한 의견들이 올라왔다. "금리가 오르면 대출이자 부담이 늘어나서 기업들이 투자를 줄이지 않을까요?"

"맞아요, 그리고 소비자들도 대출 부담 때문에 소비를 줄일 수 있죠. 그러면 전체적으로 경제가 얼어붙을 겁니다."

이야기를 나누는 동안, 새로운 시청자가 들어왔다. "안녕하세요, 여기 처음 왔는데, 주식 공부하려고요."

나는 반갑게 인사했다. "어서 오세요. 처음 오셨군요. 오늘은 금리와 주식 시장의 관계에 관해 이야기하고 있어요. 궁금한 점 있으면 언제든지 물어보세요."

"지금 주식을 사는 게 위험할까요?"

나는 신중하게 대답했다. "항상 위험과 기회는 공존해요. 중요한 건 자신만의 투자 기준을 세우고, 충분히 공부한 뒤에 결정하는 거죠."

"요즘 금리가 오르고 있는 상황인데, 이게 주식 시장에 어떤 영향을 미칠까요?" 채팅창에 올라온 질문에 많은 이들이 답을 달기 시작했다.

때로는 다른 BJ들이 진행하는 스트리밍 방송을 보기도 했다. 그곳에서 떠들썩한 경제 토론방에 들어가면, 여러 사람이 서로의 의견을 주고받고 있었다. 누군가는 최근의 삼성전자 주가 변동에 대해 말했고, 누군가는 거시경제의 흐름을 설명했다. FOMC 회의나 CPI 발표날은 매우 특별한 날이었다. 그날만큼은 편의점의 고요함조차 긴장감으로 흘러넘쳤다. 곧 시작될 회의를 실시간으로 시청하기 위해 카운터 뒤에서 노트북을 켜고, 경제 뉴스를 틀었다.

그리고 유튜브 채널에 접속하자, '파월 의장 기자회견 실시간 중계'라는 제목의 영상이 눈에 들어왔다. "오늘은 중요한 날입니다. 파월 의장이 연방준비제도의 금리 결정을 발표할 예정이에요." 채팅창에는 "이번에도 동결이다", "과연, 이런 실업률과 물가상승률에 금리를 인상할까?" 같은 글들이 올라왔다. 방송 화면 속에 파월 의장이 나타났다. 그의 얼굴은 평소와 다름없이 차분했지만, 투자자들의 운명을 좌우할 수 있었다. "오늘 우리는 금리를 0.25% 포인트 인상하기로 했습니다."

그의 말 한마디에 채팅창이 폭발했다. "헐. 올렸어!", "이제 주식은 어떻게 되려나? 유동성이 줄어들 텐데 시장에 충격이 가지 않을까?"

파월 의장은 점도표를 보며 설명을 이어갔다. "현재 경제 상황을 고려할 때, 금리 인상은 필연적입니다. 인플레이션 압력이 지속되고 있으며, 이를 억제하지 않으면 경제는 더 큰 어려움에 직면할 것입니다. 이번 결정은 장기적인 경제 안정성을 위해 불가피한 선택이었습니다."

그의 말이 끝나기도 전에, 월스트리트는 이미 움직이기 시작했다. 사기꾼 같은 트레이더들은 이익을 극대화하기 위해 대량매도와 매수에 돌입했다. 거래소의 전광판에는 빨간색과 초록색 숫자들이 쉴 새 없이 변동하며, 끊임없이 경고음을 내뿜었다. "이건 미친 짓이야!" 한 시청자의 채팅 메시지가 올라왔다. "지금 당장 팔아야 해! 유동성 축소가 시장을 어떻게 흔들지 몰라!"

다른 쪽에서는 냉철하게 매수를 지시하는 목소리도 들렸다. "금리 인상은 이미 시장에 반영된 거야. 이제는 저점 매수 기회야. 차익을 노릴 수 있어."

그들은 주가가 급락하자 빠르게 움직였다. 대형 금융사들은 자동 매매 시스템을 가동해 손실을 최소화하려 했다. 서버 장에서는 수천 대의 컴퓨터가 끊임없이 데이터를 처리하고 거래를 실행했다.
'이건 마치 태풍 속에서 배를 조종하는 기분이야. 언제 어디서 무슨 일이 벌어질지 모르는 상황이지.'

주식 시장은 혼란 그 자체였다. 파월 의장은 그런 시장의 반응을 예상이라도 한 듯, 침착하게 기자회견을 마쳤다. "우리의 목표는 경제의 지속 가능한 성장을 도모하는 것입니다. 이번 결정은 그 첫걸음입니다." 그의 말은 냉철했고, 시장을 진정시키려는 의도가 담겨 있었다. 하지만 그날 월스트리트는 가라앉지 않았다. 금리 인상의 여파는 거대한 파도처럼 모든 것을 휩쓸어버릴 기세였다. 그들 모두는 한 가지 진리를 알고 있었다. 주식 시장에서는 운과 타이밍이 모든 것을 좌우한다는 사실을 말이다.

스트리머는 마이크를 다시 잡았다. "금리가 올랐습니다. 이로 인해 주식 시장이 어떻게 반응할지 지켜봐야 합니다. 여러분의 생각은 어떠신가요?" 채팅창에 여러 의견이 올라왔다. "팔아야겠어", "아니야, 조금 더 기다려볼래."

파월의 기자회견이 끝나자, 옐런 장관은 추가적인 재정 정책을 암시했다. "우리는 경제 회복을 위해 모든 수단을 동원할 것입니다."

그때 나는 채팅창에 있는 한 시청자의 글을 보고 미소를 지었다. "오늘 발표 어떻게 생각하세요?" 스트리머는 잠시 생각에 잠겼다가 대답했다. "저는 이번 금리 인상이 시장에 어떤 파급 효과를 줄지 지켜보려고 합니다. 특히 유동성 측면에서요. 시장의 반응을 바로 예측하기는 어렵지만, 이번 발표가 분명 큰 영향을 미칠 겁니다."

나는 미국 금리가 어떻게 결정되는지에 따라 나머지 국가들의 금리도 이동하는 것을 관찰할 수 있었다. 그리고 세계 경제가 어떤 반응을 보일지 예측했다. 이런 분석을 하는 이유는 비록 내가 한국 주식에만 투자하고 있지만, 글로벌 경기에도 귀를 기울여야 한다는 것을 본능적으로 알고 있었기 때문이었다. 파월 의장의 한 마디가, 옐런 장관의 한 문장이 우리 경제에 어떤 파장을 불러일으킬지 느끼고 있었다.

여러 인터넷 카페에도 접속했다. 경제 토론방과 투자 정보 게시판을 오가며 다른 사람들의 의견을 읽고, 가끔은 댓글을 남겼다. "미국 금리가 올라가면 우리나라 경제에 어떤 영향을 미칠까요?"라는 질문을 던지면, 다양한 반응이 올라왔다. "당연히 외국 자본이 빠져나갈 겁니다," "환율이 크게 요동치겠죠."라는 답변들이 이어졌다. 나는 그들의 의견을 읽으며 깊은 생각에 잠겼다. '우리나라는 자원이 없어. 내수 경기보다는 수출 경기에 더 기울여야 하는 처지기 때문에, 한미 금리차가 벌어지면 타격이 있지.'

유튜브에서 미국 대통령 선거 토론도 지켜봤다. "이번 투표 결과가 세계 경제에 어떤 영향을 미칠까?"라는 질문이 머릿속을 맴돌았다.

미국 대통령 두 후보의 정치 색깔을 비교하면서 나는 대한민국의 상황을 떠올렸다. 미국의 정치 방향이 우리나라 경제에 미치는 영향은 절대 적지 않았다.

"어느 대통령이 되냐에 따라 우리나라 수출에 긍정적일까? 아니면 부정적일까?" 관련된 기사와 논문들을 찾아 읽었다.

'미국 대선 결과가 한국 시장에 미치는 영향'이라는 주제가 눈에 들어왔다. 바이든이 당선되면 친환경 정책이 강화될 테니, 관련 주식을 주목해야 해요," 라고 댓글이 달렸고, "트럼프가 재선된다면, 미·중 무역 전쟁이 계속되겠죠. 수출주에 악영향을 미칠 수 있습니다,"라는 댓글도 달렸다. 그리고 당연시, 대한민국의 정치 상황도 내 관심사였다. 좌파와 우파의 정책 공약을 비교하며, 그들이 총선이나 대선에 승리했을 때 경제에 미칠 영향도 분석했다. "좌파가 집권하면 복지 정책이 강화되고, 기업의 세금 부담이 늘어나겠지. 반면에 우파는 규제 완화와 기업 친화적인 정책을 내세우겠지만, 사회 불평등 문제는 더 커질 수 있어," 나는 혼자 중얼거렸다.

"정치와 경제는 결코 분리될 수 없구나," 그날 밤, 노트북을 끄고 침대에 누웠다. 이 작은 방에서, 세계 경제의 거대한 흐름이 서서히 눈에 들어왔다.

거시경제의 개념들은 바다의 움직임과 무척 닮았다. 성장, 물가, 환율, 금리, 그리고 정치인들의 정책에 따라 변화하는 시장의 유동성 모두가 그랬다.

우선, 성장은 바다에서 끊임없이 산란하여 나타나는 물고기 떼와 같았다. 그럴 때면, 어부들은 풍부한 어획량을 기대할 수 있다. 그러나, 자연의 섭리에 따라 생존 경쟁이 치열해지고, 개체 수가 줄어든다면 어획량이 줄어들었다. 경제 또한 성장이 받쳐주면, 기업과 가정이 번성했고 성장률이 낮아지면 모두가 어려움을 겪었다.

물가는 바다의 수온과 비슷했다. 수온이 올라가면 물고기들이 깊은 곳으로 숨어버리듯이, 물가가 오르면 소비자들은 지갑을 닫게 된다. 반대로, 수온이 내려가면 물고기들이 얕은 곳으로 몰려들 듯, 물가가 안정되면 소비는 늘어나고 경제는 활력을 되찾는다.

환율은 바다의 조류였다. 조류가 세게 흐르면 배는 방향을 잡기 어려워지고, 조류가 잔잔하면 항해는 순조로워진다. 환율 변동이 심하면 무역과 투자가 어려워지고, 환율이 안정되면 경제 활동이 원활해진다.

금리는 바다의 풍속과 같았다. 바람이 강하게 불면 파도가 거세지고, 바람이 약해지면 파도가 잔잔해진다. 금리가 오르면 자본의 흐름이 줄어들고, 금리가 내리면 자본이 시장으로 몰려든다.

정치인들의 정책은 바다 날씨와 같았다. 날씨가 맑으면 배를 타고 나가기가 좋지만, 폭풍우가 몰아치면 항해는 위험해진다. 정치인들의 정책도 경제 날씨를 좌우했다. 정책이 안정적이고 예측할 수 있으면 시장은 활기를 띠지만, 불확실하고 혼란스러운 정책은 경제를 혼란에 빠뜨렸다. 이 모든 것이 하나의 거대한 바다와 같다는 것을 깨닫기까지는 2년의 세월이 걸렸다. 그리고 실전경험을 쌓기 위해 500만 원을 증권사로 이체하여 주식에 발을 담갔다. 종종 소소한 물고기를 낚기도 했으나, 시장의 변동성 앞에 번번이 생선을 놓치는 날도 많았다.

한겨울의 차가운 공기가 가득한 사무실 안. 따뜻한 코코아 차를 곁에 두고 투자할 기업의 재무제표를 분석했다. 기본적 분석인 PER(Price Earnings Ratio)과 PBR(Price Book Ratio), ROE(Return on Equity) 그리고 EPS까지.

손에 들린 차는 이미 식어 있었지만, 집중력은 오히려 뜨거워져만 갔다. 컴퓨터 화면에는 수많은 숫자와 복잡하게 얽힌 그래프들 속에서 숨겨진 대어를 낚으려는 어부처럼 신중히 바다에 찌를 던져보았다. 그리고 손익계산서를 펼쳤다. "이 기업의 매출액은 꾸준히 증가하고 있군. 영업이익률도 안정적이야." "오. 순이익도 계속 상승하고 있어. 이건 좋은 징조야." 다음으로 대차대조표를 열어보았다. 총자산과 부채비율을 확인하면서, 기업의 재무건전성을 평가했다. "총자산이 꽤 많고, 현금성 자산도 충분하네. 부채비율도 적절해."

현금흐름표를 살펴보던 중, "이 기업은 실제로 돈을 잘 벌고 있어. 투자 활동에서도 효율적으로 자금을 사용하고 있군." 나는 국내의 여러 기업의 자금 흐름을 꿰뚫어 봤다. 마치 거대한 바다의 퍼즐을 완성해가는 기분이었다. 비율 분석 단계에 이르자, 각종 지표를 계산했다. "PER도 낮고, PBR도 낮아. 이건 저평가된 주식이야. ROE와 ROA도 훌륭하네." 경쟁사들과 비교하며, 해당 기업이 시장에서 어떤 위치에 있는지도 꼼꼼히 분석했다. 마지막으로 시장 동향과 산업의 미래 전망을 조사하기 위해 각종 리포트와 뉴스를 뒤적였다.

모든 분석을 마친 후, 종합적으로 판단하는 힘을 길렀다. 몇 주 후, 투자한 기업의 실적 발표가 있는 날이었다. 나는 모니터 앞에서 다시 한번 차트를 확인했다. 화면에 나타난 숫자들은 예상한 수치보다 긍정적이었다. 매출, 영업이익, 순이익 모두 시장의 예상을 뛰어넘는 어닝 서프라이즈였다. "됐다! 이번엔 정말 대어를 낚았어!"

 하지만 그 순간, 내 기대와는 달리 주가는 보합세를 보이기 시작했다. "뭐야, 왜 주가가 오르지 않는 거지?" 황당한 표정으로 모니터를 바라보았다. 주가는 실적 발표 전과 거의 변함이 없었다. 차트를 계속 주시하며 이유를 찾기 시작했다. 그리고 곧 깨달았다. 이미 많은 투자자가 실적 호조를 예상하고 주가에 반영해 놓은 것이었다. "아, 선반영이란 게 이런 거구나..." 나는 한숨을 쉬며 중얼거렸다. 하지만 실망만 하고 있을 수는 없었다. 이것말고도 시장의 반응은 예측과 다르게 흘러갈 때도 많았다.

 철저한 분석을 위해 경제 지표에도 관심을 가지기 시작했다. 국내외 주요 경제 지표인 GDP 성장률, 실업률, 소비자물가지수(CPI) 등을 분석했고, 채권 시장과 금리의 상관관계도 공부했다. 그리하여, 금리 인상기에는 배당주와 같은 안정적인 종목에 투자하는 전략을 세웠고, 금리 인하기에는 성장주에 관심을 두었다.

 오늘도 아침 9시가 되자 시장이 열렸다. 모니터에 빨강과 초록의 수치들이 미친 듯이 오르내렸다. 100만 원이라는 소액으로 단타와 스캘핑으로 승부를 본다는 각오로 임했다.

 "이거다!" 화면에 뜬 A 종목의 급등을 포착하고, 매수 버튼을 과감히 눌렀다. 매수 단가는 15,000원. 주가는 곧바로 15,500원까지 상승했다. "좋아, 여기서 판다!" 나는 재빨리 매도 버튼을 눌렀다. 수익은 500원이지만, 단타의 스릴은 이루 말할 수 없었다. 그러나 주가는 바로 16,000원까지 올라갔다. "젠장, 너무 일찍 팔았나?" 조금의 아쉬움이 밀려왔지만, 곧바로 다음 기회를 찾기 시작했다.

 다음으로 B 종목이 눈에 들어왔다. "이번엔 제대로 간다." 매수 단가는 22,000원. 그러나 주가는 갑자기 21,500원으로 떨어졌다. 손실을 보는 순간, 심장이 쿵쾅거리기 시작했다. "떨어지면 안 되는데...." 손에 땀이 맺히며 불안감이 밀려왔다. 주가는 21,200원으로 더 내려갔다. "

손절매해야 하나?" 고민하는 순간에도 주가는 내려가고 있었다. 결국, 나는 21,000원에 손절매했다.

다음으로 C 종목에 주목했다. "이번엔 타이밍이 중요해." 매수 단가는 30,000원. 주가는 천천히 오르기 시작했다. "올라가라, 제발...." 주가는 31,000원, 32,000원까지 상승했다. "지금이야!" 나는 매도 버튼을 눌렀다. 그렇게 얼음낚시를 즐기던 와중, 2020년 초 세상은 돌연히 멈춰버렸다. 신종 코로나바이러스, 코로나 19가 전 세계로 확산하면서 주식 시장은 유동성을 잃고 휘청거리기 시작했다. 심지어, 사회적 거리 두기와 봉쇄 조치로 인해 경제 활동은 급격히 위축되었고, 전 세계 주식 시장은 공포 속에 빠져들었다. 기업들과 소상공인들은 줄줄이 문을 닫았고, 실업률은 하늘 높은 줄 모르고 치솟았다. 정부는 대규모 경기 부양책을 내놓았지만, 시장의 불안은 쉽게 가라앉지 않았다. 뉴스는 연일 코로나 관련 소식을 전했고, 사람들은 마스크를 쓰거나, 집에 갇혀 불안에 떨었다. 경제는 2008년 세계 경제위기처럼 마비 상태에 이르렀고, 하락은 멈출 기미를 보이지 않았다.

내가 투자한 주식도 예외가 아니었다. 모니터 속의 숫자들은 전부 빨간색으로 물들며, 시가총액은 매일같이 줄어들었다. 그리고 투자했던 금액이 반 토막 나는 것을 눈앞에서 지켜보며, 절망감이 밀려왔다.

코로나 19가 터지던 당시, 투자했던 주식들은 주로 항공사, 여행사, 호텔 같은 레저 관련 종목들이었다. 계좌 속의 숫자들은 빠르게 줄어들었다. 항공사 주식은 직격탄을 맞았다. 대한항공은 팬데믹 이전 최고가의 절반 이하로 떨어졌고, 하나투어 역시 주가가 폭락해 50% 이상 하락했다. 신라호텔 역시 외국 관광객이 끊기면서 생각지도 못한 주가에 눈을 비볐다.

코로나 경기를 맞아 편의점 장사도 상황이 좋지 않았다. 사람들은 외출을 자제했고, 관광지로 꼽히던 이 바닷가 마을은 너무나 한산했다.

'이렇게 가만히 있다가는 정말 끝장이 나겠구나. 나도 결국, 아버지와 크게 다른 바가 없구나.'

선장님과의 대화가 떠올랐다. "너는 물고기가 될래? 어부가 될래?"

그때 나는 섣불리 대답할 수 없었다. 하지만 지금은 알 것 같았다. 나는 선장님이 자주 앉던 부두 끝자락에 서서, 멀리 수평선을 바라보았다. 바다는 여전히 거칠게 파도가 넘실대며 그 존재감을 과시했다. 마치 그 누구에게도 굴복하지 않을 것처럼.

"선장님, 저는 어부가 되겠습니다." 나지막이 혼잣말로 중얼거리며, 주먹을 꽉 쥐었다.

"저는 파도의 흐름에 휘말리지 않을 겁니다. 바다를 두려워하지 않고, 깊이를 탐험하며, 그 안에서 새로운 기회를 찾아낼 겁니다. 그리고 물고기를 꽉 채워 만선을 이룰 것입니다!"
'이제는 모험을 걸어야 할 때야.'

나는 편의점의 셔터를 내렸다. 금속 셔터가 내려갈 때마다 경쾌한 소리가 울렸다. 그 소리는 내 삶의 한 챕터의 종료를 알리는 종소리 같았다. 셔터가 완전히 닫히자, 주위를 괜히 둘러봤다. 몇 달 전만 해도, 나는 주식을 단지 부업 정도로만 생각했다. 매출이 적은 날이면, 편의점의 형광등 아래서 차트를 바라보며 매수를 하곤 했다.

편의점의 셔터를 내리고, 프랜차이즈 본사에 전화를 걸었다. 계약 종료에 따른 보증금 정산과 재고 처리 문제를 해결해야 했다. 본사 담당자는 친절하게 절차를 안내해줬다. 먼저, 매장 내 모든 재고를 철저히 정리하고, 유통기한이 지난 상품은 폐기 처리해야 했다. 그다음, 남은 상품들은 본사로 반품하거나 다른 가맹점으로 이관해야 했다.

재고 정리를 마친 후, 본사에서 파견된 점검팀이 매장의 상태를 꼼꼼히 살폈다. 진열대와 냉장고, 그리고 바닥까지 세심하게 점검한 그들은, 모든 것이 규정에 맞게 정리되었음을 확인한 후, 보증금 반환을 승인했다. 며칠 후, 내 계좌에는 XX 은행의 알림과 함께 보증금이 입금되었다. 편의점에서 벌어들인 수익과 보증금까지 모두 끌어모아 마지막 승부수를 던졌다. '지금이 바로 강태공이 말하던 그때다.', '이 위기를 놓치면 다시는 기회가 오지 않을 거야!' 확신과 불안이 교차했다. 방파제 뒤로 어둠이 드리운 바다를 바라보며, 깊은 한숨을 내쉬었다. 평소 크게 들리던 뱃고동 소리는 온갖 혼란스러운 생각들 때문에 그날따라 희미하게 들려왔다.

'내가 투자한 돈을 전부 날리면 어떡하지?'라는 두려움이 날 사로잡았다. 아무튼, 이제는 다른 곳으로 떠나야 할 시간이었다.

편의점을 매각한 자본과 그동안 벌어들인 수익으로 물타기를 하니, 평균 단가가 확실히 내려갔다. 그러나, 이 결정이 어떤 결과를 초래할지는 아무도 알 수 없었다. 마치 폭풍 속에 배를 띄운 선장이 된 기분이었다.

매일 아침, 모니터 앞에 앉아 주식 시장을 주시했다. 차트의 움직임 하나하나에 심장이 쿵쾅거렸다. 빨간빛이 더 강해지면 어쩌나 걱정했다. 운칠기삼이라는 말이 떠올랐다. 마치 카지노에 모든 것을 걸고 마지막 판을 기다리는 도박사처럼. 매우 어리석은 듯했지만, 그저 믿고 따를 수밖에 없는 현실이었다. 매일 밤 잠들기 전, '내일은 꼭 오를 거야.'라고 다독이며 눈을 감았다.

시장은 여전히 불안정했다. 주식은 회복될 기미를 보이지 않았고, 내 자산은 점점 더 줄어들었다. '정말 잘못된 선택을 한 것일까?'라는 후회가 밀려왔지만, 이제는 되돌릴 수 없었다.

'아버지의 주식 실패로 집안의 가구에 빨간 딱지가 붙었던 것처럼, 나도 같은 길을 걷고 있지는 않을까.'

원룸에서 홀로 앉아 있으니, 시계의 바늘 소리가 더욱 크게 들렸고, 불안은 더욱 커졌다. 답답한 원룸을 벗어나 단골 피시방으로 향했다. 몸집이 큰 물고기 떼 속으로 숨어들고 싶었다. 그곳은 어두운 공간이었지만, 수많은 컴퓨터와 키보드 소리로 꽤 시끄러웠다. 매일 앉던 자리에 앉아 주식 계좌를 바라봤다. 이번에는 빛이 들어오지 않는 암흑의 심해 속에서 버티고 있는 작은 물고기가 된듯했다.

뒤에 있던 초등학생이 큰 소리와 함께 키보드에 샷건을 내리쳤다. '내가 물속의 작은 물고기라면, 이 소음은 나를 숨겨주는 수초와 같구나.' 핸드폰을 들어 참치잡이 배를 탔던 동료에게 전화를 걸었다. "여보세요, 진수?"

"어, 기봉아. 무슨 일이야?"

"나 지금 피시방인데, 너도 올래? 요즘 주식 때문에 머리 터질 것 같아. 시끄러운 데서 좀 잊어보려고."

"그래, 나도 요즘 머리가 아프네. 어디로 갈까?"

"단골 피시방 왔어. 여기 사람 많아서 마음이 편해져."

"좋아, 그럼 바로 갈게. 10분 안에 도착할 거야. 자리 잡아놔."

"오케이. 그럼 이따 보자!" 나는 전화를 끊고 주식 차트를 열었다. 깊은 바다에서 파도의 움직임을 읽어내려는 듯이.

이런 위기 속에서도 배꼽시계는 여전히 지랄 맞았다. '어휴, 다 먹고 사려고 하는 건데.'

이따금 출출함이 밀려올 때면, 어김없이 1,500원짜리 라면을 시키곤 했다. 예쁜 아르바이트생이 갖다 주자, 젓가락을 집어 들고 김이 모락모락 피어오르는 그릇으로 손을 뻗었다. 입안에 첫 젓가락을 넣으니, 매콤하고 짭짤한 국물이 혀끝을 감싸며 식도를 타고 흘러내려 갔다. 그리고 노른자를 풀어내니, 부드러운 고소함이 입안에 감돌았다. 후루룩~

'이게 도대체 낚시하는 것인가, 아니면 낚시를 당하는 것인가?'

라면의 빨간 국물을 다 해치우듯이, 주식 계좌의 빨간 불도 언젠가 사라질 것이라고 굳게 믿었다. 마침내, 그 시뻘건 국물이 바닥을 드러내듯이 말이다. 꺼억~ 빈 그릇을 보며 눈을 감고 기도했다.

'반드시, 초록 불로 바뀔 것이다.'

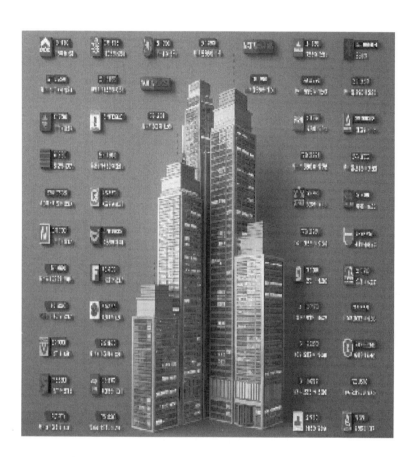

- 110 -

제4화 민물낚시

피시방은 언제나 컴퓨터에서 흘러나오는 게임 소리와 사람들의 떠드는 소리로 소란스러웠다. 친구는 주로 "리그 오브 레전드(롤)"에 열중했다. "탑 갱!", "미드 봐줘!", "바텀 싸움 나면 말해!"라는 외침이 곳곳에서 들려왔다. 친구가 열심히 롤을 플레이하는 동안, 나는 모니터 앞에 앉아 차트를 들여다보고 있었다. 스크린에는 초록과 빨강 캔들이 춤추고 있었고, 그 아래로는 다양한 보조지표들이 화려한 곡선을 그리며 움직이고 있었다.

장을 앞두고 어제의 종가와 오늘의 시가를 비교하며 갭상승과 갭하락을 주의 깊게 살펴봤다. "오늘은 갭상승이네. 초반부터 강세를 보이겠군." 나는 혼잣말을 중얼거리며 캔들의 크기와 모양을 분석했다. 긴 양봉은 강한 매수세를, 긴 음봉은 강한 매도세를 의미했다. 짧은 몸통과 긴 꼬리는 시장의 불확실성을 나타냈다.

캔들 아래에는 거래량 막대가 보였다. "거래량이 이렇게 급증하다니, 뭔가 큰일이 벌어질 조짐이야." 나는 손가락으로 거래량 막대를 가리키며 흥분을 감추지 못했다. 거래량이 많을수록, 그 움직임은 더 신뢰할 가치가 높다. 스크린의 왼쪽에는 볼린저밴드를 띄웠다. "밴드의 상단에 닿았군. 과매수 상태인가?" 나는 눈을 좁히며 밴드의 상하단을 분석했다. 밴드가 수축하면 변동성이 줄어들고, 팽창하면 변동성이 커지는 법이었다. 오른쪽에는 일목균형표가 펼쳐져 있었다. "구름대가 지지선 역할을 하겠군." 나는 구름대를 바라보며 앞으로의 지지와 저항을 예측했다. 일목균형표의 다양한 선들은 시장의 추세와 강도를 알려줬다.

캔들 사이로는 이동평균선들이 교차하고 있었다. 나는 마우스를 움직여 5일선, 20일선, 120일선, 200일선을 차례로 설정해봤다. "단기 스캘핑에는 5일선이 좋지. 하지만 장기투자를 고려하면 200일선도 중요해." 나는 각 선의 의미를 곱씹으며 자신만의 투자 전략을 세웠다.

"이 종목은 스캘핑에 적합하군. 이건 단타용이야. 그리고 이 종목은 장기투자에 좋아 보인다." 머릿속에서 각 전략을 시뮬레이션하며, 마우스로 클릭해 종목을 추가하고 삭제했다.

마지막으로 RSI(Relative Strength Index)와 MACD(Moving Average Convergence Divergence)를 점검했다. "RSI가 70을 넘어가면 과매수 구간, 30 이하로 내려가면 과매도 구간이지." 현재 RSI는 65 정도로, 과매수에 가까운 상태였다. "여기서 더 오르면 조정이 올 수도 있겠군," 혼잣말로 중얼거렸다. 옆에 있는 MACD는 두 개의 선과 히스토그램으로 구성되어 있었다. "MACD선과 시그널선이 교차하는 순간이 매수와 매도의 신호가 되지." 히스토그램의 막대는 점점 커지고 있었고, MACD선은 시그널선을 상향 돌파하려 하고 있었다. "이건 강한 매수 신호야."

이 종목의 볼린저밴드 긴장된 현악기처럼 팽팽해졌고, 일목균형표의 구름대는 무게감 있게 스크린을 채웠다. RSI와 MACD는 각각의 신호를 보내며 나에게 말을 걸었다. "여기서 과매수, 저기서 매수 신호. 이 모든 정보가 모여 결국엔 시장의 큰 흐름을 만든다." 주식 시장이라는 복잡한 바다를 유영하는 나의 모습을 상상했다. 하루하루가 낚시와도 같았다. 낚싯대와 미끼, 그리고 운이 따라줘야만 큰 물고기를 잡을 수 있는 법. 지금 이 순간, 내 인생의 가장 큰 낚싯대를 손에 쥐고 있었다.

아침 9시. 개장 시간이 다가오자 낚싯대를 잡은 손이 흔들렸다. "자, 이제 시작이야." 괜스레 손가락을 움직여보기도 했다. 매수한 종목들이 빨간색과 초록색으로 변하는 걸 지켜보며 심장이 쿵쾅댔다. 주가는 올라가고 내려가기를 반복했다.

"이건 매수다!" 나는 소리치며 매수 버튼을 눌렀다. 잠시 후, 주가는 급등했다. "맞았어! 이번에도 맞았어!" 흥분을 감추지 못한 나는 손을 쥐어 보이며 승리를 만끽했다. 하지만 다음 순간, 다른 종목에서 손절매할 상황이 다가왔다. "젠장, 이번엔 틀렸군." 나는 신속히 매도하며 손실을 최소화했다. 주식 시장의 롤러코스터를 경험하면서, 나는 공모주 투자에도 관심을 두기 시작했다. 공모주는 그 자체로 매력적이었다. 특히 따상(공모가 대비 2배로 시초가 형성 후 상한가)과 따따상(공모가 대비 3배로 시초가 형성 후 2일 연속 상한가)의 꿈은 모든 공모주 투자자의 로망이었다.

공모주에 참여하기 위해서는 다양한 증권사 계좌가 필요했다. "증권사마다 배정 물량이 다르니, 최대한 많은 계좌를 만들어야 해." 나는 인터넷 검색을 통해 가장 유리한 조건의 증권사를 찾아다녔다. "계좌

개설 완료! 이제 공모주 청약만 남았어." 청약일이 다가올수록 심장은 두근거렸고, 마치 시험 결과를 기다리는 학생처럼 초조한 마음이었다. 첫 번째 공모주는 S사였다. "이번엔 따상 가능성이 크다더라."

청약 결과는 대성공이었다. S사의 주식이 따상을 기록하며, 공모가의 2배로 시작해 상한가로 치솟았다. "이게 바로 따상인가!" 그러나 모든 공모주가 따상으로 끝나는 것은 아니었다. 두 번째 도전한 L사의 공모주는 시초가가 기대 이하로 형성되었고, 매도 타이밍을 놓쳐 손실을 보았다. 다음으로 도전한 K사의 공모주는 따따상을 기록했다. 주가는 공모가의 3배로 시작해 2일 연속 상한가를 기록했다. "이게 바로 따따상인가!"

이번에 손에 쥔 낚싯대는 대한민국 국채였다. 국채는 마치 강에 숨어있는 커다란 잉어였다. 안정적이고 꾸준한 수익을 보장해주는 고기였다. "처음부터 대어를 노리기보다는, 천천히 기본부터 시작하자." 그렇게 국채를 낚아 올리며, 안정적인 이자 수익을 챙기기도 했다. 국채의 이자 수익은 낚싯대를 든 채로 강의 고요한 물결을 느끼는 것과 같았다. 매달 일정한 이자가 통장에 들어오며 마음이 한결 차분해졌다. 그러나, 채권 수익률은 기준금리 인하나 인상에 따라 크게 좌우되기 때문에, 한국은행의 발표에 항상 귀를 기울였다. 금리가 오르면 채권 가격이 내려가고, 반대로 금리가 내리면 채권 가격이 오르는 기본 원리를 알고 있었기에, 한국은행 총재의 발표는 나에게 있어 중요한 지표였다.

"이번 달도 금리는 변동이 없군." 한국은행이 발표한 금리는 동결이었다. 인플레이션이 아주 심하지 않았고, 미국과의 금리 차이도 안정적이었다. "미국이 기침하지 않으면, 감기 걸릴 일은 없겠군."

"인플레이션이 심각하지 않으니, 금리도 크게 변동하지 않겠지."

"장기 채권으로 갈아타야 할까?" 장기 채권과 단기 채권의 수익률을 비교하며, 어느 쪽이 더 유리할지 고민했다. 장기 채권은 장기적으로 안정적인 수익을 보장해주는 반면, 단기 채권은 금리 변동에 더 민감했다.

국채라는 잉어 외에도 다양한 고기들이 살아 숨 쉬었다. ETF, 선물 등 여러 종류의 종목들을 다양한 미끼와 낚싯대로 건져 올리고 싶었다. 주식은 배스 낚시와 같았다. 때론 쉽게 낚아 올릴 수 있었지만, 어떤 날은 한 마리도 낚지 못하는 날도 있었다. "오늘은 무슨 주식을 공략해볼까?"

ETF는 다랑어 떼를 한 번에 낚아 올리는 낚시와 같았다. 한 종목에 집중하기보다, 여러 종목에 분산투자하는 매력이 있었다.

ETF는 운용사가 자금을 모아 다양한 종목에 투자하고, 그 투자 결과를 추적하여 수익을 배분한다. 대표적인 국내 ETF 운용사로는 삼성자산운용, 미래에셋자산운용 등이 있다. 이들은 다양한 테마와 지수를 추종하는 ETF를 제공하여 투자자들에게 선택의 폭을 넓혀준다.

운용사의 보수료도 매수하기 전 판단해야 할 중요한 요소 중 하나다. 일반적으로 ETF의 총비용비율(Total Expense Ratio, TER)은 0.1%에서 1% 정도로, 개별 주식 펀드에 비해 낮은 편이다. 이는 투자자들이 저비용으로 분산 투자할 수 있는 매력을 더한다.

KOSPI200을 추종하는 ETF는 국내 대형주에 투자하는 효과를 주며, KRX300을 추종하는 ETF는 더 넓은 범위의 종목에 투자할 수 있게 한다. 또, 특정 산업에 집중투자하는 ETF도 있다. IT, 바이오, 친환경 에너지 등 특정 섹터에 투자하여 높은 성장 잠재력을 가진 종목에 집중할 수 있다.

ETF는 개별 주식과 비교하면 몇 가지 중요한 차이가 있다. 첫째, 개별 주식의 급등락에 따른 위험을 줄일 수 있다. 이는 여러 종류의 물고기를 동시에 낚아 안정적인 수확을 기대하는 것과 같다. 둘째, 운용사의 전문적인 관리와 리밸런싱을 통해 나름 최적의 포트폴리오를 유지할 수 있다. 낚시 전문가가 초보 어부를 돕는 것처럼, 운용사는 보수를 받고, 최적의 낚시 스팟을 선택한다. 그리고 운용사는 각 종목에 대해 철저한 분석을 진행하여, 어떤 종목이 투자자에게 가장 유리할지 판단한다. 이는 전문가가 각 낚시 상황에 맞는 최적의 미끼를 어부에게 알려주는 것과 비슷하다.

낚시 장비도 꼼꼼히 관리해야 한다. 낚싯대와 리더, 훅 등 낚시에 필요한 도구들을 최적화하고, 유지 보수하여 어부가 최고의 성과를 낼 수 있도록 돕도록 하는 것이다. 이뿐만 아니라, 물고기의 움직임이 첨

예하게 달라질 때 전문가의 경험과 조언은 큰 도움이 된다. 낚시 중에 전문가가 실시간으로 옆에서 조언을 아끼지 않고, 어부가 성공적으로 물고기를 낚을 수 있도록 유도한다.

한편, 매수할 때면, 옆자리에서 북미 서버로 리그오브레전드를 즐기는 친구의 모습이 보였다. 어쩌면, 미국 시장이 한국 주식 시장보다 더 많은 기회가 있을지도 모른다는 생각이 들었다. 나는 서둘러 인터넷을 뒤져 미국 시장에 대한 자료를 찾기 내려갔다. 처음으로 눈에 들어온 것은 미국의 3대 지수인 다우 존스 산업 평균 지수, 나스닥 종합 지수, 그리고 S&P500 지수였다. 그리고 배당주에 대한 정보도 눈에 들어왔다. 매년 꾸준히 배당금을 지급하는 기업들은 안정적인 수익을 보장하기 때문에 배당 귀족이라고 불렸다. 한국 시장에서는 쉽게 볼 수 없는 장면들이었다. '말은 제주로 가고, 사람은 서울로 가야 한다.'라는 말과 같이 더 큰물에서 놀아야 하는 이유를 차츰 깨달았다.

내가 정의한 '한국 시장의 세 가지 불가지론'은 아래와 같다.

한국 시장은 대기업 중심으로 돌아가며, 특정 산업군의 종목에 지나치게 집중되는 경향이 있다. 반면 미국 시장은 기술, 헬스케어, 소비재, 에너지 등 다양한 산업군에 걸쳐 균형 잡힌 포트폴리오를 구성할 수 있다. 이는 투자 위험을 분산시키고 안정적인 수익을 기대할 수 있게 해준다.

한국 시장은 정치적, 경제적 불확실성에 크게 영향을 받는다. 대외 의존도가 높아 글로벌 경제 상황에 민감하게 반응하는 특성이 있다. 반면 미국 시장은 세계 경제의 중심지로서 상대적으로 안정적이며, 장기적인 성장 가능성이 크다. 특히, 미국은 혁신 기업들의 중심지로, 지속적인 성장을 기대할 수 있다.

한국 주식 시장은 정보의 비대칭성이 크고, 기업들의 투명성이 상대적으로 낮다. 반면 미국 시장은 기업 정보 공개가 철저하고, 투자자 보호 장치가 잘 마련되어 있어 보다 투명한 투자 환경을 제공한다.

민물의 크기와 깊이로 미장(미국 주식 시장)과 한국 시장을 비교하면, 넓고 깊은 호수와 작은 강을 떠올리게 된다. 호수는 끝이 보이지 않을 만큼 광활하며, 다양한 생태계가 존재한다. 미장은 세계에서 가장 큰 주식 시장이었다. 뉴욕 증권거래소(NYSE)와 나스닥(NASDAQ) 지수를 매일 확인하며, S&P500, 다우존스 산업평균지수의 움직임도 연구했다. 나스닥은 특히 기술주들이 많이 상장된 시장으로, 애플, 아마존, 구글 같은 거대 IT 기업들이 지배한다. S&P 500은 미국의 500대 기업을 포함한 지수로, 경제 전반의 흐름을 가장 잘 반영한다고 알려져 있다. 다우 지수는 30개의 대형주로 구성되어 있어, 좀 더 안정적이면서도 전통적인 미국 경제의 모습을 보여준다.

다양한 금융 상품을 제공한다. ETF (Exchange-Traded Funds)와 같은 상품들은 호수 곳곳에 퍼져 있는 작은 물고기들처럼 다양하게 존재한다. 예를 들어, JEPI(JPMorgan Equity Premium Income ETF), QYLD(Global X NASDAQ 100 Covered Call ETF) 등은 S&P 500과 나스닥 100을 추종하며, 투자자들에게 다양한 선택지를 제공한다. 배당귀족(Dividend Aristocrats)인 기업들도 유명하다. 이들은 25년 이상 배당금을 지속적으로 인상해 온 기업들로, 배당주 투자를 통해 안정적인 수익을 얻을 수 있다. 이는 마치 호수의 깊은 곳에서 발견할 수 있는 보물 같은 존재들이다. P&G, 존슨앤드존슨, 코카콜라 등은 대표적인 배당 귀족이었다.

반면, 한국 시장은 비교적 작은 강과 같다. 이 강은 깊이는 얕지만, 특정 지역에서는 빠르고 격렬하게 흐른다. 삼성전자, SK하이닉스 등 몇몇 대형 기업들이 시장을 주도하고 있지만, 전체적인 규모는 미장에 비해 작다. ETF 상품도 존재하지만, 그 수와 다양성에서 미장에 미치지 못한다. 배당주가 많지 않다. 몇몇 기업들이 배당금을 지급하고는 있지만, 오랫동안 성장해온 기업은 드물다. 미국 시장으로의 전환은 마치 작은 강에서 넓은 호수로 이동하는 느낌이었다.

"어디에 미끼를 던지느냐에 따라 큰 물고기를 낚을 수도, 빈손으로 돌아올 수도 있지." 나스닥은 최근 몇 년간 엄청난 상승세를 보였고, S&P 500은 꾸준히 성장했다. 반면, 다우 지수는 안정적인 흐름을 유지했다. 그리고 내가 보던 메로나 차트가 해외 주식에서 비롯됨을 알 수 있었다.

한국 주식 시장의 차트는 빨강이 수익을, 파랑이 손실을 나타냈다.

"왜 우리나라는 빨간색이 수익을 나타내는 걸까?" 그는 이 궁금증을 풀기 위해 다양한 자료를 찾아봤다.

한국 주식 시장의 역사를 살펴봤다. "아, 여기 있군. 빨간색은 예로부터 좋은 일을 상징했어. 축제 때도 빨간색을 많이 쓰잖아." 그는 역사적 배경을 통해 빨간색이 왜 긍정을 의미하는지 이해할 수 있었다.

"빨간색이 상승을 나타내는 이유는 예로부터 붉은색이 경사와 번영을 상징했기 때문이구나, 그럼, 왜 외국에서는 빨강이 손실을 의미하고 초록이 수익을 의미할까?"

"초록 불은 신호등에서 가라는 뜻이지. 긍정적인 신호가 된다는 거야," 혼잣말을 하며 고개를 끄덕였다. "초록은 성장을 상징하기도 하고, 자연의 색이니까.“

저녁이 되면, 미국 주식 시장의 개장을 기다리는 시간이 찾아왔다. 한국에서 미국 시장에 투자하기 위해서는 그들의 개장 시간에 맞춰야 하는데, 이 시차가 꽤 독특한 리듬을 만들어 낸다. 미국 주식 시장은 뉴욕 현지 시각으로 오전 9시 30분에 개장하고 오후 4시에 닫히는데, 이는 한국 시각으로 봄과 여름철에는 밤 10시 30분부터 새벽 5시까지, 가을과 겨울철에는 밤 11시 30분부터 새벽 6시까지가 된다.

나는 이 시간에 맞춰 생활 방식을 조정해야 했다. 늦은 저녁을 먹고, 준비된 커피를 한 잔 들고 모니터 앞에 앉는 것이 일상이 되었다. 개장 전에는 프리마켓(Pre-market)을 점검하곤 했는데, 이는 정규 거래 시간 이전에 거래가 가능한 시간대다. 프리마켓에서 주요 기업의 실적 발표나 경제 지표에 따른 주가 변동을 미리 살펴보며 전략을 세웠다.

오후에 일찍 일어나는 날이면, 본 장에는 큰 영향이 없는 마켓을 아이 쇼핑하듯이 구경했다. 독일 증권거래소는 프리프리마켓(Pre-pre-market), 즉 프프장이라는 시간대가 있다. 이를 통해 투자자들은 예상치 못한 변동성에 대응하거나, 중요한 뉴스를 빠르게 반영할 수도 있고, 그 날의 시장 흐름을 대략 예측할 수 있었다.

정규장이 개장하면, 미리 분석한 자료들로 낚시를 하곤 했다.

"벌써, 22시 30분이군. 자. 가보자!" 자신감 있게 매수 버튼을 눌렀다. "빨강이군. 조금 더 기다렸다가 이 단가에서 물을 타보자."

몇 마리의 물고기를 건져 올린 나는 잘게 회로 썰어 빨간 초고추장에 찍어 모두 없애버리려고 했다. 빨간 불이 들어왔을 때마다 마음속으로 걱정이 밀려왔지만, 그 고추장의 매콤한 맛을 이겨내는 순간, 손실은 사라지고 기쁨의 초록 불이 나타났다.

이번에는 회 한 점을 와사비를 맘껏 탄 간장에 찍고 나서의 행복을 맛보는 단계였다. 초록 불이 들어왔을 때, 와사비의 강렬한 맛과 간장의 짭짤함이 어우러져 입안을 가득 채웠다. 그 순간의 기쁨은 이루 말할 수 없었다. 와사비와 간장이 만들어내는 완벽한 조화처럼, 내 계좌의 수익도 아름답게 조화를 이루었다. 빨간 불과 초록 불이 번갈아 들어올 때마다, 나는 이 두 가지 맛을 번갈아 느꼈다. 주식 시장의 변동성은 매일 다른 소스를 선사했다. 때로는 고추장의 매운맛으로, 때로는 와사비의 강렬함으로.

미국 주식 시장에서는 주로 FANG(페이스북, 아마존, 넷플릭스, 구글) 주식을 집중적으로 연구했다. 이들 기업의 분기별 실적 보고서를 읽으며, 매출 증가율, 순이익률, 주당순이익(EPS) 등을 꼼꼼히 따졌다. 미국의 금리 정책이 주식 시장에 미치는 영향을 파악하기 위해 연방준비제도(FED)의 FOMC 회의록도 빠짐없이 읽었다. 또한, 미국의 기업 실적 발표 시즌마다 실적 서프라이즈와 어닝 쇼크를 예측했다. 기업의 재무제표를 더욱 깊이 익히기 위해, 자산 부채비율, 유동비율, 현금 흐름 등도 집중적으로 공부했다.

한국 시장은 동산과 부동산이 미국 시장을 따라가는 경향이 짙었다. 또한, 한국은 변동성이 큰 편이라 상한가와 하한가로 30%까지 제한했지만, 미국 시장은 배당 성향이 높고 안정성이 뛰어나 상대적으로 안정적인 투자 환경을 제공했다. 전반적인 수익률과 안정성을 고려할 때 얕은 민물보다는 깊고 넓은 민물이 더 매력적이었다.

2020년 초, 평화롭던 지구는 미지의 바이러스로 혼돈의 아수라장이 되었다. 그해 12월 말, 중국 우한의 수산시장(이른바 "화난 해산물 시장")에서 바이러스가 처음으로 보고되었다. 이 시장에서는 다양한 야생 동물들이 거래되었으며, 이로 인해 바이러스가 인간에게 전파될 수 있는 환경이 조성되었다고 한다. 그리고 바이러스의 기원에 대한 다양한 이론이 제기되었다. 과학자들은 바이러스(SARS-CoV-2)가 박쥐로부터 시작됐다고 보고했다. 박쥐는 수많은 바이러스를 보유한 동물이며, 유전자 서열이 다른 코로나바이러스와 비슷하기 때문이었다. 박쥐에서 중간 숙주를 거쳐 인간에게 전파된 것으로 보였다.

초기에, 세계의 각 정부는 단순한 폐렴 정도로 여겼지만, 곧바로 세계적인 범유행으로 변모했다. 세계보건기구(WHO)는 이 상황을 신속하게 대처하기 위해 긴급회의를 열었다. 마스크 착용 규정을 신설하고, 사람들에게 사회적 거리 두기를 권고했다. 의료진이나 공장에서 일하는 사람들이 착용하던 마스크가 일상 필수품이 되었다. 하얀 마스크는 굉장히 답답했지만, 이내 그것이 본인의 안전을 지키는 최소한의 방어막이었다.

연구소와 병원은 24시간 불을 밝히고 바이러스 연구에 매진했다. 현미경 아래에서 바이러스의 모양과 구조를 분석하며, 백신 개발에 최선을 다했다. 초기 연구 결과에 따르면, 이 바이러스는 호흡기를 통해 빠르게 전염된다고 밝혔다.

이탈리아, 스페인, 미국 등 서부의 나라들은 급격히 증가하는 감염자 수에 대응하기 위해 도시를 봉쇄하기 시작했다. 그로 인해 번화가였던 거리는 유령 도시를 방불케 했고, 사람들은 집에서 자가격리를 하며 확산을 막기 위해 노력했다. 폭발적인 수요가 발생하여, 마스크와 손 소독제 등의 방역 물품은 품절 대란이 발생했고, 사람들은 마스크 한 장을 구하기 위해 목숨을 걸고 약국 앞에서 줄을 서기도 했다. 이에, 정부는 수급을 안정시키기 위해 긴급 수입과 생산을 독려했지만, 초기에는 혼란을 피할 수 없었다.

이 끔찍한 혼란은 내 주식 계좌에도 찾아왔다. 마치 어둠이 드리운 아마존강 속에서 나침반을 잃은 나룻배처럼, 내 계좌의 숫자들은 붉은 파도로 출렁거렸다. 그래프는 끝을 알 수 없는 낭떠러지로 떨어지고 있었고, 매일 아침 주식 앱을 열 때마다 차가운 땀방울이 등줄기를 타고 흘러내렸다. 내 손끝이 떨렸고, 눈앞은 흐릿해지며, 모든 게 제자리를 잃은 듯한 기분이었다.

며칠이 지나도, 물고기는 갑작스레 상류로 거슬러 오르다 거센 폭포 앞에 멈춰 선 듯한 충격을 받은 듯했다. 시장은 유동성을 잃고 휘청거렸고, 전 세계 경제는 혼란에 빠졌다. 주말엔 주식 장이 열리지 않으니, 차라리 기도를 해보라는 기독교 친구의 장난스러운 말에 정말 '기도 메타'에 돌입했다.

주말이 되어 친구와 함께 교회를 갔다. 교회에 들어서자 나무 의자의 냄새와 성경책 특유의 향이 콧속을 간질였다. 차가운 돌바닥은 마치 고요한 시간 속으로 걸어 들어가는 듯한 느낌을 주었고, 성스러운 분위기로 압도되었다. 어디선가, 찬양단의 목소리가 들려왔다. 둘러보니, 목사님이 서는 단상의 왼쪽에 성가대석이 있었다. "할렐루야, 할렐루야," 성가대는 흰색과 파란색이 조합된 단복을 입었고, 목소리는 각기 다른 음색이 조화롭게 어우러지며, 아름다운 하모니를 만들었다. 피아노 반주는 맑은 물이 흐르는 듯 감미로웠고, 드럼 소리는 신나고 경쾌했다. 힘찬 찬양이 높이 울려 퍼지며 교회의 천장까지 메웠다.

목사님은 단상 위에서 온화한 미소를 지으며 회중을 바라보았다. 흰 머리칼과 주름진 얼굴에서는 긴 세월의 지혜와 인내가 느껴졌다. 목소리는 부드럽고 따뜻했으며, 그의 눈에는 깊은 연민과 사랑이 담겨 있었다. "주님께서 여러분을 지켜주실 것입니다," 그 순간, 창문을 통해 들어오는 햇볕이 유난히 따뜻하게 느껴졌다.

기도를 시작하기 전, 고개를 숙여, 친구에게 소곤거렸다. "예수님께서 보리 떡 다섯 개와 물고기 두 마리로 오천 명을 먹이신 기적처럼, 내 주식도 기적적으로 올라야 하지 않겠어?" 친구는 피식 웃으며 고개를 끄덕였다. 나는 두 손을 모으고 눈을 감았다. "주님, 보리 떡 다섯 개와 물고기 두 마리로 많은 사람을 먹이신 것처럼, 저의 투자도 축복해주시옵소서. 지금은 비록 코로나 초기 단계로 주식이 하락하고 있지만, 저희의 믿음으로 주식이 다시 오르기를 기도합니다."

행사가 끝나고 교회 밖으로 나오니 시원한 바람이 우리를 맞았다. 그 뒤로 사회적 거리 두기가 격상되면서, 교회에 갈 수 없었다. 이제는 집에서 기도를 드려야 하는 상황이었지만, 혼자서 경건한 분위기를 유지하기가 쉽지 않았다.

일요일 아침, 소파에 앉아 온라인 예배를 틀어놓았다. TV 화면에는 목사님이 성경을 읽으며 설교를 하고 있었다. 찬양이 시작되자, 내가 좋아하는 찬양곡이 흘러나왔지만, "할렐루야"를 외치기보다는 냉장고에서 멜론을 꺼내기 위해 자리에서 일어났다.

"주님, 이 멜론처럼 제 계좌도 초록으로 물들도록 해주세요," 라며 멜론을 입에 넣고 기도했다. TV 속 목사님은 내 기도도 축복해주시는지 "아멘"을 외쳤다.

한편, 미국 정부는 대규모 양적 완화 정책을 도모했다. 당시의 상황은 급격한 경기침체를 막는 것이 최우선이었다. 그러므로 미래의 물가상승률에 따른 인플레이션을 감수하고서라도 유동성을 당장 공급했다. 이처럼, 민물고기들이 풍부한 영양분을 섭취가 가능한 호수로 옮겨졌고, 시장에 막대한 자금이 풀리기 시작했다. 마침내, 물고기들은 활기를 띠며 곳곳을 돌아다녔다.

다른 나라들도 미국의 이러한 대응 방식을 따랐다. 유럽연합(EU)은 대규모 재정 정책과 함께 유럽중앙은행(ECB)을 통해 시장에 자금을 공급했다. 일본도 마찬가지로 중앙은행(BOJ)을 통해 대규모 자산 매입 프로그램을 시행했다. 새로운 먹이터를 찾기 위해 협력하는 물고기들처럼, 각국은 경제위기를 극복하기 위해 공동의 노력을 기울였다. 결국, 시장은 빠르게 회복되며 브이자 반등을 보였다. 나는 주식 차트를 보며 심장이 두근거렸다. "드디어 때가 왔구나,"

4,800만 원으로 시작한 나의 투자 여정은 많은 굴곡을 겪으며 성장을 이루어냈다. 투자 초기, 기술적 분석을 통해 주가의 움직임을 예측하며 차트에 몰두했다. 캔들을 보며 저항선과 지지선을 찾아내고, 이동평균선과 거래량을 비교하며 매수와 매도의 타이밍을 잡았다.

이러한 노력 덕분에 첫 3개월, 4,800만 원 중 테슬라에 4,000만 원을 전부 매수하여 약 1.5배의 수익을 내면서 6000만 원까지 자산이 불어났다. 이 시기는 미국 시장의 빠른 회복과 혁신 기업들의 성장이 맞물리면서 대어를 낚을 수 있었다. 6개월 후, 아마존과 애플에도 투자하여 자산은 7,500만 원으로 증가했다. 안정적인 성장을 보이는 기업들 덕분에 투자 성과는 꾸준히 상승했다. 1년 후, 투자자산은 1억 원을 넘어서며 큰 성과를 이루었다. 그러나 세금 문제를 간과한 것이 뒤늦게 발목을 잡았다. 양도소득세 22%와 배당소득세 15.4%는 예상보다 큰 부담으로 다가와, 이익 실현의 기쁨과 함께 세금 부담의 현실을 마주해야 했다. 그리고 이러한 정책들이 가져오는 부작용도 무시할 수 없었다. 과도한 유동성 공급으로 인해 자산 가격이 급등하고, 이는 거품 경제를 초래할 위험이 있었다. 물고기들이 풍부한 자원 속에서 자라는 동안에도 항상 천적의 위험에 노출되는 것처럼, 시장도 언제 터질지 모르는 거품의 위험 속에서 움직였다.

결과는 대성공이었다. 그 순간의 기쁨은 말로 다 표현할 수 없을 정도였다. 피시방의 소란스러운 환경 속에서도 환호성을 질렀다. 친구들이 게임에서 승리한 듯 기뻐할 때, 나는 투자에서 승리를 경험했다.

테슬라 외에도, 팬데믹 동안 큰 상승을 보인 아마존(Amazon, AMZN), 애플(Apple, AAPL), 마이크로소프트(Microsoft, MSFT) 등의 주식에 관심을 두게 되었다. 한국 시장에서 배운 경험을 바탕으로 미국 주식 시장에서 물고기를 나름 잘 낚았던 것 같았다.

낚싯대가 한층 고급 낚싯대로 바뀌자, 바다낚시를 즐기고 싶은 욕망이 들끓었다. 민물낚시와 바다낚시, 이 두 세계는 마치 주식과 코인 투자처럼 그 성격이 확연히 달랐다. 민물낚시, 물속의 변동은 크지 않았고, 경험과 기술만 있다면 일정한 수확을 기대할 수 있었다. 우량주를 고르고 안정적인 수익을 노리는 투자처였기에 대체로 평온했다. 때때로 가뭄이나 강풍이 불어도 그 영향은 금세 잠잠해졌다. 경험이 쌓인 낚시꾼은 어느 정도 예측 가능한 수확을 누릴 수 있었다.

반면, 바다낚시는 파도가 넘실대고, 바람의 세기와 방향도 시시각각 변했다. 한순간의 변동으로도 큰 이익이나 손실이 발생할 수 있는 곳. 바다는 예측할 수 없는 외부 요인들이 난무했다. 높은 파도와 갑작스러운 폭풍, 그리고 예기치 않은 해류 속 낚시꾼은 늘 긴장할 수밖에 없었다. 이곳에서는 아무리 좋은 장비를 갖췄더라도, 운과 감각이 중요한 역할을 했다.

제5화 바다낚시

1억 원에 달하는 고급 낚싯대를 들고 바다로 나갔으나, 작은 파도 하나도 거대한 장벽처럼 느껴졌고, 익숙했던 등대의 불빛조차도 낯설게 다가왔다. 오랜만에 다시 나온 바다는 예측할 수 없는 변덕스러운 세상처럼 느껴졌다. 그곳에서의 낚시는 민물과는 완전히 달랐다.그리고, 무수히 많은 물고기 종류에 정신을 차릴 수 없었다. 어떤 물고기를 낚아야 할지, 어떤 종류의 생선이 가치가 높은지.

에어드랍, NFT, 블록체인 기술, 개인 지갑인 메타마스크와 트러스트 월렛 등은 처음 마주하는 미지의 물고기였다. 알아보니, 에어드랍은 바다의 표면을 떠다니는 작은 물고기들이었다. 갑작스레 쏟아져 내리는 이 물고기들은 그물만 던지면 바로 수확할 수 있을 정도로 흔했다. 하지만 그중에서도 정말 가치 있는 물고기를 골라내기란 쉽지 않았다. 영롱한 진주 알을 찾아내기 위해 신중하게 분석하고 또 분석했다.
NFT는 외형부터 특이한 물고기였다. 독특한 색깔과 무늬를 지닌 이 물고기들은, 마치 바닷속 깊은 곳에 숨어 있는 보물 같은 존재였다.

그 가치는 시간이 지남에 따라 더욱 높아졌다. 나만의 물고기를 소유하는 것은 고유한 경험이자, 특별한 가치를 지니고 있었다.

블록체인 기술은 바다를 이루는 기본적인 생태계였다. 물고기들이 어디로 이동하고 어떻게 성장하는지를 결정짓는 중요한 요소였다. 이동과정의 투명성과 안전성 덕분에, 바다에서 어획량을 속이며 장사하는 어부들은 없었다. 도매업자와의 거래가 명확하고 투명하게 기록되었기 때문이다.

개인 지갑인 메타마스크와 트러스트월렛은 내가 낚아 올린 물고기들을 안전하게 보관하는 수조였다. 이 지갑들은 어획한 물고기들을 안전하게 지켜주는 역할을 했고, 언제든지 필요할 때 쉽게 꺼내 쓸 수 있게 해줬다. 그러나 헤아릴 수도 없이 많은 알트코인 속에서 고민에 빠졌다. "이 물고기들은 또 무엇이고, 실체는 존재할까?" 어떤 물고기는 아름답고 화려했지만, 그 내면은 빈 껍데기일 뿐이었다. 반면 어떤 물고기는 보잘것없어 보였지만, 속에는 커다란 가치를 지니고 있었다. 마지막으로 국가에서 추진하는 CBDC(Central Bank Digital Currency)라는 새로운 개념에도 적응해야 했다. 중앙은행에서 발행하는 디지털

화폐인 CBDC는 기존의 코인들과는 다른, 완전히 새로운 물고기였다. 정부의 통제와 감독하에 운영되는 이 물고기는 바다에서 거래가 성사되진 않았기에. '이런 종류의 물고기도 있구나'라고 생각했다.

나는 이렇게 드넓은 코인 바닷가에서 사람들에게 흔히 알려진 참치와 같은 비트코인에 집중했다. 알트코인 중에서는 그나마 이더리움 정도. 그래서 X비트 거래소라는 배를 타고 낚싯대를 쥔 채, 참치 중 대어를 낚으러 닻을 막 올렸다.

비트코인의 급락은 마치 바다에서 대어를 낚으려다 폭풍우를 만난 것과 같았다. 고급 낚싯대는 아무 소용이 없었고, 바다의 변덕스러운 파도에 휩쓸렸다. 저 멀리서 반짝이는 빨강 등대는 손실의 경고였고, 초록 등대는 기회의 신호였지만, 초보자에게 그 경계는 너무나도 모호했다. 대어를 낚으려다 그물째 찢겨 나간 것처럼, 1억 원에 달하던 자산은 눈앞에서 조금씩 사라졌다. 낚싯줄이 끊어질 것 같은 긴장감이 밀려왔다.

바다의 넓은 수면 아래에서는 물고기들이 분주히 움직였지만, 익숙지 않은 낚시 방법에 혼란스러웠다. 그 순간 나는 바다의 끝없는 깊이를 이해하지 못한 채 무모하게 도전한 자신을 자책했다. 바다에서 무모하게 던진 낚싯대를 바라보며, 이내 겸손해졌다. 바다의 파도는 나의 교만을 단번에 휩쓸어 갔다. 바다에서는 그물의 상태를, 바람의 방향을 모두 파악해야 하듯, 투자에서도 코인의 종류와 변동성을 철저히 이해해야 했다.

기본적 분석보다는 다양한 기술적 분석 방법이 필요했다. 쌍 바닥 파악하기, 지지와 저항선에 줄긋기, 데드크로스, 골든크로스 등은 나의 새로운 낚시 도구가 되었다. 여기서는 기업이 없기에 주식처럼 가치를 따지는 일은 뒷전이었고, 오직 매매법과 타이밍이 중요했다. 넘실대던 파도가 거칠게 몰아 부딪힐 때도 자신만의 확고한 판단력과 낚시법이 있어야 배가 난파되지 않고 살아남을 수 있었다. 쌍바닥은 바다의 깊이를 가늠해보는 방법이었고, 줄긋기는 낚싯줄의 장력과 같지 않았을까. 이동평균선은 물고기의 이동 경로를 파악하는 데 필수적인 도구였다. 구름떼는 날씨와 물살의 변화를 예측하는 것과 같았고, 데드크로스와 골든크로스는 물고기의 먹이 활동 시간대를 파악하는 핵심 열쇠였다.

나만의 낚시법을 만들기 위해 여러 번 시도해본 스켈핑과 단타는 작은 물고기를 빠르게 낚아채는 기술이었고, 장기투자는 어떠한 파도가 오더라도, 큰 물고기를 기다리는 인내심이었다. 이번에는 준비된 어부로서, 더 깊이, 더 넓게, 더 신중하게 물고기를 낚을 준비를 마쳤다. 그리고 매일같이 바다로 나가 고기를 낚아 올리려는 싸움은 끝이 없었다. 손에 쥔 낚싯대가 점점 무거워질수록, 무게를 견디며 강해졌다. 낚시는 나의 생존 수단이었고, 전부였다. 아니, 목숨을 걸었다고 말해야 하나.

코인 시장은 바다처럼 넓고 깊으며, 변덕스러운 파도와 바람으로 급격한 변동성을 지녔다. 우리는 그 속에서 조그만 배를 타고, 흔들리는 파도에 맞서며 낚싯줄을 드리운다. 고요한 바다의 아침은 코인 시장의 안정기와 같다. 물결은 잔잔하고, 태양은 서서히 떠오르며, 모든 것이 평화롭다. 하지만, 예고 없이 찾아오는 폭풍을 만난다면, 모든 것이 뒤집힐 수 있다. 파도는 거세지고, 배는 이리저리 흔들린다. 모든 것이 불안정하고, 작은 실수 하나가 큰 손실로 이어질 수 있다. 그러나 그 속에서도 우리는 낚시를 멈추지 않는다. 최고의 수익을 위해, 혼돈의 카오스 속에서 기회를 찾아야 한다.

미끼는 가장 중요한 요소 중 하나다. 어떤 미끼를 선택하느냐에 따라 잡히는 물고기의 종류와 양이 달라진다. 낚싯대의 길이와 강도는 투자 금액과 리스크 허용 범위를 나타낸다. 긴 낚싯대는 먼 곳의 큰 물고기를 노릴 수 있지만, 다루기 어려워 실패의 위험이 크다. 짧고 강한 낚싯대는 안정적으로 작은 물고기를 잡을 수 있지만, 큰 수익을 기대하기는 어렵다. 비싸고 강력한 낚싯대는 더 큰 물고기를 잡을 수 있지만, 관리가 까다롭고 유지 비용이 많이 든다. 그러므로 고급 장비를 다루기 위해서는 더 많은 경험과 지식이 필요했다.

그렇게 경험을 쌓아가며, 거래하던 중 이상징후가 나타났다. "어?, 바다에서 물보라가 일어나잖아? 그 광경은 마치 거대한 괴수가 수면을 휘젓는 것 같았다. 시커먼 바다의 수면 위로 하얀 물보라가 솟아올라, 폭풍우의 전조처럼 하얀 거품을 일으켰다. 물방울들이 햇빛을 받아 반짝이며, 무수히 많은 작은 보석들이 하늘에서 쏟아져 내렸다. 소리는 천둥이 울리는 것 같았고, 물보라가 터지는 순간마다 강력한 파도 소리가 뒤따랐다. 쏟아져 내린 물보라가 콧속으로 들어가니, 짭조름한 냄새가 진하게 퍼졌다. 피부에 닿는 물방울들은 차갑고 거칠었다.

자연의 거대한 힘 앞에 서 있는 듯한 두려움과 경외심을 동시에 느꼈다. 수면 아래 거대한 그림자가 다시 느리게 움직였다.

'설마, 고래인가? 드디어 고래가 나타났다!'

바다같이 넓고 큰 고래를 감히 낚아올릴 수는 없었다. 단지, 그 주위를 맴도는 작은 물고기들을 낚아 만선을 이루려는 전략을 세웠다. 거래량의 막대가 치솟을 때마다, 매수 버튼에 손이 올라갔다. 고래가 다시 움직이는 신호를 포착하자, 작은 물고기들이 놀라 흩어진다. 그 물고기들을 예의주시하며, 적기에 낚싯대를 던진다.

매일 새벽 바다로 나가 그들의 흔적을 쫓았다. 그 기회 속에서 꾸준히 수익을 올릴 수 있었다.

한편, 바다낚시를 배우며, 24시간 고기를 낚아 올리려 하니 체력과 정신이 모두 황폐해졌다. 밤낮을 가리지 않는 낚시는 긴 항해 끝에 맞이하는 아침 햇살조차도 피로를 덜어주지 못했다. 잠깐의 방심이 모든 돈을 잃게 만들 수도 있다는 불안감에 사로잡혀, 한 치 앞도 보이지 않는 어둠 속에서 하루하루를 버텨야 했다.

그날도 거친 파도와 맞서며 배를 타고 나섰으나, 현물에서는 큰 재미를 보지 못했다. 모니터 앞에서의 생활이 계속되자 외로움은 종종 무거운 침묵으로 다가왔다. 아무도 없는 밤, 모니터 앞에서 쏟아지는 숫자들을 바라보며, 고독감이 밀려왔다. 하루는 긴장을 풀기 위해 잠시 포지션을 정리하고, 인터넷 창을 열었다. 야동 사이트에 접속하니 화면 가득 자극적인 이미지들이 넘쳐났다. 나는 헤드폰을 끼고, 소리 없는 방에서 자극적인 소리에 귀를 기울였다. "하악, 하악" 소리가 귀에 꽂히고, 내 손은 점점 빠르게 움직이기 시작했다.
마침내, 고조된 긴장감이 풀리며, 몸이 떨렸다. "아아...." 모든 것을 잊은 채 그 순간에 몰입했다. 다시 현실로 돌아오니 모니터에는 여전히 변동하는 차트와 숫자들이 떠 있었다. 현자타임이 오고나니, 괜스레 더 큰 도파민이 필요한 듯 자극적인 생각이 머리를 스쳐 지나갔다.

"흠. 선물시장에 도전해볼까? 5천만 원이라.... 양적 완화로 자금이 풀린 기회를 그냥 지나칠 수가 없어. 레버리지를 활용하면, 잠깐의 움직임으로 큰 수익을 낼 수 있을 거야. 나는 내 분석과 직감, 그리고 그동안의 경험을 믿어야 해."

머릿속에 '오징어 게임'의 한 장면이 떠올랐다. 서울대를 졸업한 주인공이 선물시장에 뛰어들었다가 패가망신하는 모습. 그가 선물로 모든 것을 잃고 오징어 게임에 참가했던 장면이 떠올라 이마에 땀이 송골송골 맺혔다.

"이렇게 무모한 결정을 내려도 되는 걸까?"

"그래도 나는 그와는 다를 거야. 분명히 V자 반등이 올 거야. 도박이 아니야!"

결정을 내린 후, 선물거래소로 자금을 옮기기 위해서는 다른 코인으로 환전해야 했다. 트론은 낮은 수수료와 빠른 이체 속도로 인해 많은 트레이더들이 이용하는 코인이었다. 나는 익숙한 동작으로 암호화폐 거래소에 접속했다.

"좋아, 트론을 매수하자." 현물 거래소의 수수료가 표시되었다.

"확실히 이 코인이 이체 수수료가 정말 저렴하군."

1억 원 중 5천만 원은 물타기용으로 남겨놓았으나, 전부 트론을 매수하고 선물거래소의 주소를 입력했다. 이체 버튼을 누르니, 코인이 선물거래소 지갑으로 전송되는 시간은 겨우 1분 남짓이었다.

투자자들 사이에서 가장 위험하다고 알려진 곳, 해일과 폭풍우가 항상 몰아치는 곳이었다. 그런 곳에서 물고기 하나를 건져 올리는 일은 거대한 도박장에서 배팅하는 것과 다르지 않았다. 잘못된 판단 하나가 큰 손실을 줄 수 있었고, 반대로 정확한 판단은 엄청난 수익을 안겨줄 수도 있었다.

"이게 진짜 낚시지,"

내가 가진 고급 낚싯대는 그만큼의 성능을 발휘했다. 레버리지는 배에 달린 거대한 돛과 같아서, 바람의 힘을 이용해 배를 더욱 빨리 나아가게도 하고, 한순간의 실수로 배를 뒤집어버릴 위험도 있었다. 예를 들어, 10배 레버리지를 사용하면 1억 원으로 10억 원어치의 거래를 할 수 있다. 하지만, 고배율 레버리지는 양날의 검이므로 수익이 클 수 있지만, 반대로 손실도 엄청날 수 있었다. 즉, 자본의 몇 배에 달하는 거래를 할 수 있게 해준다.

나는 레버리지를 다양하게 조절하며 투자했다. 초기에는 5배에서 10배 사이의 레버리지를 사용하며 시장에 적응했다. 변동성이 큰 장에서는 20배까지 올리기도 했지만, 50배 이상의 고배율은 극도로 신중하게 사용했다. 100배 레버리지는 거의 사용하지 않았다. 너무 큰 위험이 따르기 때문이다. 작은 변동으로도 계좌가 청산될 위험이 컸다.

선물거래에서 청산은 계좌의 자산이 일정 수준 이하로 떨어질 때 자동으로 포지션이 종료되는 것을 의미한다. 이는 마치 파도에 휩쓸려 배가 난파되는 것을 의미한다. 청산을 피하기 위해서는 "뚝배기"라고 불리는 선을 넘지 않도록 주의해야 한다. 그러므로 나는 전액인 5천만 원 중 최대 30%까지만 포지션을 잡았다. 그리고 손실이 예상될 때는 미리 정리하거나, 현물에 있는 5천만 원을 추가 자금으로 투입하여 청산을 피했다. 다시 거래를 시작하자, 파도가 몰아치듯 시장의 변동성이 나를 덮쳤다. 작은 가격 변동에도 계좌의 잔액은 크게 출렁였다. 단타를 치며 한 발 한 발 나아갔다.

한 달이 지나, 계좌의 숫자는 놀랍게도 7억이라는 거대한 낚싯대로 업그레이드됐다. 현물을 바라보니, 비트코인 가격이 5,000만 원을 바라보고 있었다. 코로나 19경기로 인한 거품이 코인에도 잔뜩 쌓이는 듯했다. 현물에서만 2배가 올랐던 코인들은 선물에서는 레버리지를 활용해 10배의 수익을 올릴 수 있었다. 바다에서 건져 올린 한 마리의 물고기가 금테를 둘렀는지. 눈을 비비고 다시 계좌를 바라봤다.

"기봉아, 진짜 대단하다. 이런 수익률은 상상도 못 했어." 늘 옆자리에 앉던 친구가 부러워하며 말했다.

"모든 게 바다와 같아. 폭풍우가 몰아치지만, 그 속에서도 기회를 잡는다면 큰 보상을 얻을 수 있지. 내가 가야 할 방향을 잃지 않는 것이 중요해. 이제는 언제든지 매운탕은 사 먹을 수 있겠구먼"

포트폴리오를 구성할 때, 다양한 코인을 매수했다. 비트코인, 이더리움, 리플, 라이트코인 등 메이저 코인들 위주로, 시장 동향을 고려해 분산투자했다. 그리고 주식의 인버스 ETF와는 다르게 롱(Long)과 숏(Short) 포지션을 자유롭게 변경할 수 있다. 이는 상승장뿐만 아니라 하락장에서도 수익을 낼 수 있다. 롱 포지션은 가격이 오를 것으로 예상하고 매수하는 전략이며, 숏 포지션은 가격이 내릴 것으로 예상하고 공매도하는 전략이다.

선물시장에서 소량의 금액으로 숏 포지션을 취하는 것은 안전줄과 같다. 하지만, 바다낚시에서 안전줄을 너무 팽팽하게 잡으면 되레 역효과가 나듯이, 레버리지 또한 과도하게 사용하면 위험했다. 1배수로만 숏을 치며, 짧게 먹고 나와야 했다. 이 방법은 고수들만의 낚시 기술처럼, 섬세하고 신중하게 접근해야 한다. 장기적으로 시장은 우상향하는 경향이 있으므로, 보통은 롱 포지션이 더 큰 수익을 가져다주는 법이다. 이 두 가지 전략을 적절히 활용하면, 시장의 방향성에 상관없이 수익을 창출할 수 있다는 점이 새로웠다.

며칠이 지나, 피시방에서 늦은 밤까지 차트를 바라보며 지치고 허기진 상태로 라면을 후루룩거리고 있었다. 그 순간, 갑자기 화면에 초록빛이 황홀한 녹색으로 번지기 시작했다. 비트코인이 폭발적으로 상승하고 있었다. 처음에는 믿기지 않았다. 꿈인가? 생시인가? 몇 번이고 눈을 비비며 차트를 확인했다. 믿기 어려운 일이었다. 이틀 전만 해도 바닥을 치던 코인이 이제 하늘을 찌르고 있었다. 내 심장은 미친 듯이 뛰기 시작했고 손은 떨렸다.

"만선이다!" 나는 소리치며 피시방의 의자를 박차고 일어났다. 주위 사람들은 무슨 일인가 놀라서 나를 바라보았다. 거대한 그물에 가득 담긴 물고기들이 파닥거리는 모습이 눈앞에 그려졌다.

이제 나는 그 물고기들을 하나하나 회로 썰어 시뻘건 초고추장에 찍거나, 와사비를 탄 간장에 찍어도 됐다. 바로, 모든 선택권을 손에 쥔 순간이었다. 초고추장에 찍어보니, 싱싱한 회의 탱탱한 식감과 풍부한 맛이 입안 가득 퍼지는 것처럼, 가슴 속 깊은 곳에서부터 터져 나오는 기쁨은 이루 말할 수 없었다. 모든 감각이 살아나고, 주위의 모든 소리가 먹먹해졌다.

만선이 가능했던 이유를 찾으려면, 몇 달 전으로 거슬러 올라가야
한다. 7억 원을 코인 거래소로 이체한 나는, 먼저 철저한 시장 분석과
함께 레버리지 전략을 구사했다. 초기 자금으로는 대폭적인 수익을
기대하기 어려웠기에, 레버리지를 활용한 선물거래에 집중했다.

코로나 19로 비트코인이 바닥을 칠 때 기회를 포착했다. 시장의 과
매도 상태를 파악하고, 비트코인의 저점에서 5배에서 10배의 레버리
지를 사용해 포지션을 크게 늘렸다. 시장의 급격한 변동에 대비해 손
절매(Stop Loss)를 설정하고, 작은 변동에도 빠르게 대응할 수 있도록
준비했다. 또한, 포지션을 여러 차례 분할 매수하여 리스크를 분산했
다.

예를 들어, 비트코인이 한 번에 큰 폭으로 내릴 때마다 조금씩 추가
매수하여 평균 매입 단가를 낮췄다. 또한, 주요 경제 뉴스와 비트코인
관련 소식을 빠짐없이 점검했다. 비트코인의 상승은 단순한 기술적
분석뿐만 아니라, 대형 기관 투자자의 진입과 같은 긍정적인 뉴스도
한몫했다. 비트코인이 상승하자, 나는 레버리지를 조정했다. 초기에는
10배 레버리지로 시작했지만, 상승이 본격화되면서 이를 20배, 30배로

높여가며 수익을 극대화했다. 물론, 이는 높은 위험을 동반했기에 긴장감 속에서도 매 순간 차트를 주시할 수밖에 없었다.

계좌는 50억을 돌파했다. 그리고 레버리지의 배율을 점차 낮추며 안전한 포지션을 유지했다. 이후로도 비트코인은 지속적으로 상승했고, 나는 매일같이 차트를 분석하며 적절한 시점에 일부 포지션을 정리했다. 하지만 전체 자금의 대부분은 여전히 비트코인에 투자한 상태로 유지했다. 마침내, 계좌 잔고는 150억 원에 도달했다. 피시방을 나서며 나는 오랫동안 잊고 있었던 바다의 향기를 다시 느꼈다. 내리던 비가 그치고 바다로부터 불어오는 신선한 바람이 나를 감쌌다. 그 순간 나는 마치 꿈결처럼, 내가 바다에서 만선을 하고 육지로 돌아오는 기분이 들었다. 해가 저물어가는 하늘은 붉게 물들었고, 저 멀리 등대의 불빛이 반짝였다. 그 등대는 이제 길을 잃은 어부를 비추는 빛이 아니었다. 그것은 나의 승리를 축하하는 축포처럼 느껴졌다. 초록빛으로 빛나는 등대를 바라보니, 밀려오는 기쁨과 흥분은 말로 다 표현할 수 없었다.

생각해보니, 군대와 같은 대학 생활의 4년, 깊은 바다에서의 2년은 나를 정말 많이 단련시켰다. 그곳에서의 파도 소리, 짠 내음, 선장의 꾸짖음, 참치의 비늘이 반짝이는 순간들. 모든 것이 나를 강하게 만들었다. 편의점에서의 4년, 정적 속에서 경제신문을 읽고, 차트를 분석하며 밤을 새우던 시간. 한밤중, 거래 창 앞에서 깜빡이는 차트는 어두운 바다 위에 홀로 떠 있는 배의 항로처럼 느껴졌다. 차트의 빨간 불과 초록 불은 내 인생의 물결을 따라 출렁이며 나를 시험했다. 붉은색의 차트가 피를 끓게 하고, 초록 불이 켜질 때마다 심장이 빠르게 뛰었다. 존버를 한다고 모든 것이 해결되는 것은 아니다. 물들어올 때 노를 저었고, 대량의 물고기를 걷어 올렸다. 그 순간을 위해 수많은 경험을 쌓아왔다고 생각했다.

물론, 고기가 끊임없이 모여드는 환경을 조성한 건 코로나 19였다. 그 운이 나를 이끌었지만, 운을 담을 그릇을 항상 빚었다는 점이 감격스러웠다. 몇몇 사람들은 나에게 바카라나 빠칭코에서 1번 제대로 맞췄다고 말한다. 시기하는 건지 질투하는 건인지는 모르겠지만, 내 인생의 그래프는 파란만장한 바다였다.

처음으로 물고기가 가득 찬 만선의 맛을 보고 육지로 돌아왔다. 그리고 성공을 재정비하는 시간을 가졌다. 재정비하는 동안에도 자산이 눈덩이처럼 늘어났다. 자산이 무려 150억 가까이 불어난 뒤, 나는 경제 뉴스와 거시 경제 지표를 더 세심하게 살피게 되었다. 특히 FOMC 회의나 금리 결정, 심각한 정치적 뉴스가 발표될 때면, 매매를 피하는 신중함을 지니게 되었다. "위기가 곧 기회다," 라는 말을 수없이 들었고, 그 말의 진정한 의미를 깨달았다. 하지만 이제 더 안정적이고 신중한 전략을 추구했다. 이미 큰 자산을 이룬 상황에서, 무리한 투자보다는 꾸준히 그리고 천천히 불려가는 것이 중요했다.

"기회는 언제나 온다,"

악재인 뉴스가 전해질 때면, 나는 매매를 피하고 잠잠히 기다렸다. 폭풍우가 잦아들기를 기다리는 어부처럼, 시장의 불안정한 흐름이 진정되기를 기다렸다. 번개와 천둥이 몰아칠 때, 여유가 넘치는 어부들은 목숨을 담보로 배를 띄우지 않는다. 거친 파도 속에서 그물을 던지는 것은 이제 나에게도 매우 어리석은 일이었다.

그날 밤, 나는 창밖을 내다보았다. 비가 내리고 있었다. "지금은 기다릴 때야." 시장이 불안정할 때는 과감히 물러서는 것도 중요한 전략이었다. 시간이 흐르고, 시장은 다시 안정되었다. 그제야 나는 천천히 매매를 재개했다. 평온을 되찾은 바다로 나가는 어부처럼, 신중하게 다시 자리를 잡았다.

"언제나 폭풍우가 지나가면, 바다는 다시 고요해진다. 강태공처럼 때를 기다리자."

문득, 선장님과의 대화가 떠올랐다. 나의 멘토는 "낚시와 투자 모두 혼자서만 할 수 있는 일이 아니란다. 너의 결점을 보완해 줄 동료가 필요하지." 나는 해양 생태계에 대한 깊은 안목을 가진 어부들을 모집했고, 새로운 낚시 포인트와 기술을 습득했다.

바로 선물 트레이딩 팀인 R5를 결성했다. 다섯 명의 개성 넘치는 투자자들과의 24시간 동안 벌어지는 무대는 부산에 있는 호화스러운 호텔이었다. 거실에는 최첨단 컴퓨터들이 7대 설치되어 있었고, 세계 각국의 주식 차트와 뉴스가 끊임없이 업데이트되었다. 창밖으로 보이는 푸른 바다와 하늘은 정신을 맑게 해주었고, 바람에 흔들리는 가로수는 우리가 늘 원하는 녹색 계좌 같았다. 바다와 맞닿은 이 숙소는 파도 소리가 끊임없이 들려오는 곳으로, 새로운 기회를 잡기 위한 전초기지였다.

새벽 3시, 모두가 각자의 자리에서 매매에 몰두했다. "이봐! 내가 신호를 읽어냈어! 이건 완벽한 기회야!"라고 팀원이 외쳤다. 우리는 그의 모니터로 달려갔고, 그는 빠르게 설명을 시작했다. "이건 진짜야, 지금 매수 해!"

우리는 즉시 그의 말을 따랐고, 승리의 환호와 함께 작은 축하 파티를 열었다. 거실의 큰 테이블 위에는 피자와 맥주병이 쌓여 성을 이루기 직전이었다. 아침이면 나는 가장 먼저 일어나 주방에서 커피를 내렸다. "오늘 코인 시장, 어떨 것 같아?" 리서치 전문가인 준호가 대답했다. "오늘은 FOMC 회의가 있으니, 금리 결정에 주의해야 해."

어느 날, 시장이 급격히 하락했을 때, 숙소의 거실은 여느 때처럼 긴장감이 맴돌았다. 고배율로 선물시장에 진입한 동료가 모니터 앞에서 고함을 질렀다. "아, 젠장! 5천만 원이 날아갔어!" 그의 목소리는 절망과 분노로 가득 차 있었다. 그러고는 차마 우리를 바라보지도 못한 채, 문을 쾅 닫고 방으로 들어가 버렸다.

"쾅!" 거실에는 묘한 침묵이 흘렀다. 한 번의 실수로 큰돈을 잃었을 때 느끼는 그 허탈감과 좌절감은 쉽게 말로 표현할 수 없었다. 거실에 남아 있던 우리는 차마 위로의 말을 건네기 어려웠다. 대신, 각자 자신의 모니터에 시선을 고정한 채, 조용히 자기 일에 집중하는 척했다. 김성우는 손톱을 물어뜯으며 신경질적으로 다리를 떨고 있었고, 나머지 동료들도 애써 차트에 집중하려 노력했다. 그 누구도 먼저 말을 꺼낼 수 없었다. 청산 당할 때의 그 순간, 거래소의 시스템은 무정하게도 "띠링, 딩동" 신호음을 냈다. 오락기의 종료 소리처럼, 모든 희망이 사라졌음을 알리는 소리였다. 그 소리를 들을 때마다 우리는 모두 가슴이 철렁 내려앉곤 했다. 결국, 나는 자리에서 일어나 조용히 그의 방으로 다가갔다. 노크할까 말까 망설이다가, 슬쩍 문을 열었다. 침대에 앉아 고개를 숙이고 있는 그의 어깨를 살며시 토닥였다.

하나가 성공하면, 다음은 손쉽게 뒤따랐다. 한때 중단했던 스트리밍 방송도 다시 시작했다. "안녕하세요, 여러분. 오늘도 시장이 뜨겁네요. 저희 R5 팀의 전략을 소개해드릴게요," 카메라 앞에서 웃으며 인사하는 우리 팀은 이미 많은 팔로워를 보유한 인기 BJ 반열에 올랐다. 10분이 지나자, 구독자들이 점점 우리 방송에 들어왔다. 실시간 채팅창은 활발하게 움직였고, 나는 시청자들의 질문에 답하며, 투자 노하우를 공유했다. 방송의 인기는 식을 줄 몰랐고, 종종 다른 유명 BJ들과의 협업 요청도 들어왔다. 그리고 그들과 경조사까지 챙기는 가까운 사이가 되었다. "박호두님 결혼식에 다녀왔습니다. 축하합니다!"

우리는 숙소 생활도 공개했다. "오늘은 저희가 함께 생활하는 모습도 보여드릴게요," 카메라를 들고 숙소를 소개하자, 시청자들은 큰 호응을 보냈다. "여기가 저희 회의실입니다, 여기서 매일 매매 전략을 논의합니다."

준호가 리서치 자료를 정리하는 모습, 혜진이는 차트를 분석하는 모습 등, 팀원들의 다양한 모습을 공개하며 방송은 더욱 인기를 끌었다. "오늘도 저희 방송에 참여해주셔서 감사합니다. 다음에도 더 유익한 내용으로 찾아뵙겠습니다,"

쉬는 날이 되면 우리는 각자의 고급 외제 차를 몰고 나가며 일상의 스트레스를 해소하곤 했다. 나는 람보르기니를 타고, 준호는 포르쉐를 몰며, 도시를 누볐다. 람보르기니의 엔진 소리는 바다의 파도가 몰아치는 소리와 같았다. 도로 위를 달릴 때마다 느껴지는 속도감은 물고기가 낚싯줄을 물고 빠르게 도망치는 순간을 연상케 했다. 준호도 속도를 즐기며, 부산의 다양한 도로를 후비고 다녔다.

우리는 고급 쇼핑몰로 향했다. 깊은 바다에서 희귀한 물고기를 찾아내는 어부처럼, 각종 브랜드 매장을 성큼성큼 거닐었다. 명품 시계나 의류, 액세서리들을 찾아내며 확보한 어획량을 씹고 뜯고 즐겼다.

종종 함께 모여 고급 레스토랑을 찾기도 했다. 각자의 어획량을 자랑하며, 어부들이 그날 잡은 물고기를 자랑하듯이 이야기했다. "오늘은 이 바지락 수프가 정말 맛있군," 내가 말하자, 준호와 혜진은 고개를 끄덕이며 포도주잔을 들어 올렸다. "오늘 대박이었어. 다음 주엔 더 큰 고기를 낚아보자고."

숙소로 돌아가는 길, 모두가 각자의 차량을 몰고 해안도로를 달렸다. 바다의 수평선 너머로 일몰이 지는 모습은 그 자체로 힐링이었다. "오

늘은 어떤 고기를 낚았냐?" 준호의 물음에 나는 미소를 지으며 대답

했다. "오늘은 특별한 물고기인 평화와 자유를 낚았지."

우리는 쉬는 날마다 바다가 아닌 도심 속에서 낚시를 즐겼다.

제6화 양식장

코인 선물과 현물로 160억에 가까운 돈을 불린 나는 오랜 꿈을 실현하는 순간을 맞이했다. 아버지의 주식 투자 실패는 우리의 삶을 하향 곡선으로 밀어 넣었고, 그 그래프는 끝없이 내려갔다. 그날도 어항을 바라보며 나는 깊은 생각에 잠겼다. 생선들이 좁은 공간에서 자유를 잃고 갇혀있는 모습이 나의 삶과 겹쳐 보였다. "나는 언제까지 이곳에 갇혀있어야 할까?" 이런 생각이 들 때마다 아버지의 실패가 떠올랐다. 아버지도 한때는 높이 날아올랐으나, 결국에는 추락할 수밖에 없었던 그 현실 말이다.

그때 나는 인생이란 단순한 직선이 아니며, 오르내림이 반복되는 패턴이라는 것을 선장님께 배웠다.

거울 속의 나를 바라보며 중얼거렸다. "그래프가 언제나 상승할 수는 없어. 오르내림은 필연적인 거야." 그 생각은 마치 비수처럼 내 마음에 박혔다. 그렇기에 나는 통발과 그물을 치기로 했다. 아버지가 실패를 딛고 일어섰던 것처럼, 나도 대비책을 마련해야 했다. "인생은 반복되는 패턴이야," 나는 스스로 다짐했다. 안정적인 수익을 위해 통발과 그물을 치는 것은 그저 선택이 아닌 필수였다. 마치 바다에서 물고기를 잡기 위해 미리 준비하는 어부처럼, 나는 나의 자산을 지키고 불리기 위한 준비를 시작해야 했다.

양식장을 본격적으로 구축하기 전, 나는 바다에 통발과 투망을 치는 것처럼 100억 원을 시험 삼아 시중은행의 예금이자로 불려보았다. 어쩌면 가장 안전하고 확실한 방법이었다. 큰돈을 한 곳에 묶어두기보다는 여러 은행과 2금융권에 쪼개어 예금하는 방식은 마치 바다에 통발과 투망을 치는 것과 같았다. 이렇게 하면 위험을 분산시키고, 어느 한 곳에서 문제가 생기더라도 큰 손해를 보지 않을 수 있다.

예금자 보호법은 1인당 5천만 원까지 해당하므로, 나는 그 한도를 기준으로 100억 원을 쪼개어 예금하기로 했다. 은행마다 5천만 원씩 넣으면 200개의 통발과 투망을 치는 셈이었다. 실제로는 조금 더 복잡한 과정이었지만, 기본적인 전략은 간단했다.

나는 먼저 주요 시중은행과 2금융권의 다양한 상품을 조사했다. 금리가 높으면서도 안정적인 상품을 선택해야 했다. 인터넷과 전화 상담, 그리고 은행 지점을 직접 방문하여 가장 적합한 예금 상품을 찾았다. 각각의 은행에서 제공하는 혜택과 조건들을 꼼꼼히 비교했다.

은행에 들어설 때마다 나는 마치 바다에 나가 통발과 투망을 준비하는 기분이었다. 각 은행의 계좌를 개설하고, 5천만 원씩 예금하는 작업은 반복적이지만 중요한 일이었다.

"여기 예금 상품 가입하려고 합니다."

은행 창구 직원은 친절하게 안내해 주었다. "5천만 원 예금하시면 연이자율이 2% 적용됩니다. 예금자 보호법에 따라 안전하게 보호됩니다."

나는 미소를 지으며 예금 서류에 서명했다. "좋습니다. 그렇게 진행해 주세요."

이렇게 200개의 계좌에 5천만 원씩 예금하면서 나는 금융 시스템의 안전망을 최대한 활용했다. 매달 정기적으로 들어오는 이자는 마치 바다에서 조금씩 올라오는 어획물 같았다. 안정적이지만 그리 큰 수익은 아니었다. 그래도 위험을 최소화하면서 이익을 얻는 방법을 익힌 것은 큰 성과였다.

이제 나는 100억 원을 바다에 통발과 투망을 치우듯 분산하여 예금하면서 금융 시스템의 안전망을 확실히 경험했다. 그렇게 나는 인생의 오르내림을 받아들이며, 통발과 그물을 치기 시작했다. 예금자 보호법에 따라 5천만 원씩 분산하여 2금융권까지 쪼개는 것, 강남 건물을 매입하여 월세 수익을 올리는 것, 그리고 미국 배당주에 투자하는 것. 이 모든 것은 내가 더 하락하지 않기 위한 대비책이었다.

그리고 우선, 집안의 빚을 갚기로 했다. 부모님의 빚 6억 5천을 갚고, 나는 어머니와 재회하기로 마음을 먹었다. 어린 시절 아버지의 사업 실패와 주식 투자 실패로 인해 우리 가족은 큰 시련을 겪었지만, 이제 내가 그 빚을 모두 청산한 것이다. 어머니를 만나기 위해 오래된 작은 아파트로 향했다. 문을 열고 들어선 그 순간, 어머니는 놀란 눈으로 나를 바라보았다. "엄마," 내가 조심스럽게 말했다. "우리 이제 다시 함께 살 수 있을 거야. 아버지와 셋이서."

어머니의 눈에 눈물이 고였다. "기봉아, 네가 이렇게 잘 된 것만으로도 엄마는 너무 고마워. 내가 이젠 네 돈에 욕심부릴 생각은 없단다."

나는 어머니의 손을 꼭 잡으며 말했다. "엄마, 그동안 정말 고생 많으셨어요. 이건 엄마를 위해서예요." 나는 준비해 온 봉투를 내밀었다. "증여세 없이 드릴 수 있는 5천만 원이에요. 이 돈으로 조금이라도 편안해지셨으면 좋겠어요."

어머니는 떨리는 손으로 봉투를 받았다. "기봉아, 정말 고마워. 너는 항상 엄마의 자랑이야."

어머니를 끌어안으며, 이 순간이 우리 가족에게 새로운 시작이 될 것을 확신했다. 어머니의 눈물은 기쁨과 안도감으로 변했고, 나는 그녀에게 미소 지었다. 이제 우리는 다시 함께할 수 있었다. 과거의 고통은 우리가 함께 극복해낸 것이었고, 이제는 미래를 향해 나아갈 준비가 되어 있었다.

"아버지도 우리와 다시 함께 살게 하자고," 나는 어머니에게 말했다. "우리가 함께라면 어떤 어려움도 이겨낼 수 있을 거야."

어머니는 고개를 끄덕이며, 눈물을 닦았다. "그래, 기봉아. 네가 있어서 정말 다행이야."

우리는 새로운 시작을 위해 다시 뭉쳤다. 어머니와 아버지, 그리고 나, 우리는 다시 하나가 되었다. 과거의 상처를 뒤로하고, 앞으로 나아갈 힘을 얻은 것이다.

고액 자산가가 되자, 여기저기서 사람들은 나를 찾아왔다. 그중에서도 가장 많이 들은 조언은 강남에 건물을 사라는 것이었다. "강남 불패," "땅은 절대 배신하지 않는다"는 말들이 마치 주문처럼 울렸다. 그들의 말을 듣고 1년 동안이나 고민했다. 강남 건물을 사는 것이 과연 현명한 선택일까? 나는 양식장을 들여다보며, 그들의 제안을 곱씹어

보았다. 각종 해양생물이 바다에서 자연스럽게 자라듯, 내 자산도 안정적으로 불어나기를 원했다. 양식장 시스템을 처음 구축할 때는 많은 고민이 있었다. 어디서부터 시작해야 할지, 어떤 생선이 가장 효율적인지, 그리고 어떻게 꾸준한 수익을 낼 수 있을지. 부자들이 말하는 '돈이 돈을 부르는 시스템'을 만들기 위해서는 초기 투자와 꾸준한 관리가 필요했다. 나는 수많은 자료를 찾아보며 최적의 환경을 구축하려 노력했다.

고민하던 중 인터넷에서 대한민국 사람들의 평균 자산에 대해 분석해보니, 2023년 기준으로 대한민국의 가구당 평균 자산은 약 4억 원이었다. 이 중에서 금융자산은 약 1억 5천만 원을 차지하고, 나머지는 부동산이었다. 순 자산은 대출과 같은 부채를 뺀 순수 자산으로, 평균 약 3억 원이었다.

이를 더 자세히 분석해보면, 대한민국에서 상위 10%에 해당하는 가구의 자산은 약 10억 원 이상이었다. 상위 5%는 약 20억 원, 상위 1%는 50억 원 이상의 자산을 보유하고 있었다. 금융자산과 부동산을 포함해 약 150억 원의 자산을 보유한 나는 상위 0.1% 계급에 올랐다.

대한민국 사람들의 평균 자산과 나의 자산을 비교하면서, 인생이 얼마나 불공평하고 동시에 운명적인지 생각하게 되었다.

하루는 한 자산관리사가 내게 찾아왔다. 그는 깔끔한 양복을 입고, 서류가방을 들고 있었다.

"안녕하세요, 저는 연봉 1억 4천을 조건으로 자산 관리와 양식장 운영을 도와드릴 수 있습니다." 그의 말은 신뢰감을 주었다.

나는 그의 제안을 수락하기로 했다. 자산관리사와의 계약을 체결하면서, 그는 내 자산을 관리하고 양식장을 효율적으로 운영하는 방법을 제시했다. 그의 도움으로 양식장을 구경하는 일도 훨씬 수월해졌다.

양식장은 마치 거대한 수족관 같았다. 다양한 해양생물들이 물속에서 자유롭게 헤엄치고 있었다. 나는 그들을 바라보며, 내 자산도 이처럼 건강하게 자라나기를 바랐다.

자산관리사가 내 옆에서 양식장의 상태를 설명해주었다. "여기 보세요, 이 문어들은 마치 강남의 고급 건물처럼 가치를 가지고 있습니다. 이 조개들은 마치 미국 배당주처럼 꾸준한 수익을 제공합니다."

그의 설명을 들으니 모든 것이 명확해졌다. 나는 양식장 안의 생물들을 바라보며, 내 자산이 다양하게 분산된 것을 실감했다. 건물, 배당주, 예금이자, 그리고 코인 현물까지. 모든 것이 유기적으로 연결되어 있었다. 그리하여, 양식장을 더욱 효율적으로 관리할 수 있었다. 그는 양식업의 전문가였고, 내 자산이 최상의 상태로 유지되도록 도와주었다. 그와 함께 양식장을 돌며, 각종 해양생물이 잘 자라고 있는지 확인했다. 돈이 돈을 불러오는 시스템은 계속해서 알을 낳아 새끼가 태어나는 양식장과도 같았다. 끊임없이 순환하며 자라나는 생선들처럼, 자본은 꾸준히 증가했다. 이 체제는 안정적인 수익을 가져다주며, 그 속에서 나는 부자의 철학을 몸소 체험했다.

완벽한 생태계를 이룬 그곳은 정확한 시간표에 따라 움직였다. 물의 온도와 질, 먹이의 양, 그리고 알을 낳는 주기까지 모든 것이 조절됐다. 처음에는 작은 고기들만 있었지만, 시간이 지나면서 성체로 성장했고, 스스로 알을 낳아 새끼들을 키워냈다. 양식장이 본격적으로 자리를 잡기 시작하자, 점점 더 많은 자본을 투입할 수 있었다. 그 수익은 다시 재투자되어 더 큰 양식장을 만들었다. 낚시하지 않아도 안정적인 수익을 냈다.

마치, 잘 조율된 오케스트라 같기도 했다. 그러던 중, 급매로 나온 강남의 130억짜리 꼬마빌딩을 현금으로 매입했다. 빚 한 푼 없이 현금 박치기로 이루어진 거래는 대형 참치를 한 번에 낚아 올리는 기분이었다. 강남 빌딩은 나의 거대 양식장이자, 요새가 될 터였다. 빌딩의 월세 수익은 세금을 제외하고도 매월 약 4천만 원이 나왔다. 이 양식장을 관리해주는 전문 관리업체와 계약을 맺고 나니, 관리 비용을 제하고도 3천5백만 원 정도가 순수익으로 남았다.

편의점에서 밤을 새우며 공부했던 고배당 주식들도 빼놓을 수 없었다. 철저한 분석 끝에, 코카콜라(KO), 존슨앤드존슨(JNJ), 그리고 프록터앤드갬블(PG)까지 세 개의 주식을 매수했다. 또한, 나스닥(NASDAQ)이나 S&P 500지수를 추종하는 배당주 ETF에 10억 원을 투자했다. 이들은 바다의 넓고 안정된 조류처럼 꾸준히 성장할 것을 기대하며 선택한 투자처였다. 배당 수익률을 평균 3%로 잡고 계산하면, 연간 3천만 원, 월평균 약 250만 원의 배당 수익이 발생한다. 배당소득세를 15.4% 공제하고 나면 월 약 211만 원이 내 손에 들어왔다.

남은 20억 중 10억은 코인 현물에 넣어놨다. 코로나 19가 종식되고, 전 세계는 긴축 기조로 돌아섰다. 미국이 테이퍼링에 이어 금리가 인상되자, 한국도 기준금리를 따라 올리기 시작했다. 그리하여, 10억 원을 은행 정기 예금에 묻어두었다. 복리의 장점은 단순한 이자 수익을 뛰어넘어, 시간이 지남에 따라 이자에 이자가 붙어 원금이 눈덩이처럼 불어나는 효과를 만들어 낸다. 10억 원을 연 3% 복리로 예금했을 경우, 10년 후에는 원금이 13억 4,391만 원으로 불어날 것이다. 단리로 3억 원의 이자를 받는 것보다 훨씬 높은 금액이었다.

대한민국 부자들이 가장 많이 하는 방법은 환테크라고 한다. 그래서 일부는 달러를 샀다. 수익률이 낮을 수 있지만, 달러 투자는 안정성이 높고 원금의 손실 위험이 적은 투자 방법이다. 이는 투자자의 우선순위가 수익보다 자본 보호에 있을 때 유용한 전략이다. 환전 수수료가 있지만, 차익에 대한 세금이 부과되지 않고, 성공률 100%를 자랑한다. 대한민국 경기는 보통 5년 주기로 흔들린다. 부자들은 달러가 저렴할 때 틈틈이 매수하고, 대한민국 경기가 흔들릴 때 판다. 단순한 매커니즘이지만, 대한민국 부자들은 5년마다 더 부자가 된다.

나는 다양한 투자 옵션들을 고려하며, 양식장을 안전하게 꾸려 나갔다. 가끔 10억의 고급 낚싯대를 들고, 선선한 바람을 맞으며 그동안의 여정을 돌아보았다. 푸른 바다 위에서 강한 햇볕을 받으며 코인 시세를 확인하고, 강남 빌딩의 임대 수익을 계산하며, 미국 주식 시장의 동향을 주시했다.

이제 낚시는 생업이 아닌 취미가 되었다. 예전의 생사를 건 조업과는 달리, 그저 손맛을 즐기기 위해 배에 닻을 내렸다. 압박감 없이 느긋하게 고기를 낚아채는 맛도 꽤 신선했다. 물고기가 입질할 때의 그 떨림, 그리고 낚아 올릴 때의 쾌감은 우리의 기쁨과 닮았다. 가끔은 커다란 참치를 낚아 올린 것처럼 짜릿한 급등이 큰 수익을 안겨주기도, 때로는 물고기를 놓치기도 했다. 그럴 때면, 미련 없이 다음 기회를 노렸다. 빈손으로 돌아올 때도, 나름의 재미가 있었다.

고기가 잡히지 않자 고요하게 낚싯줄을 다시 던졌다.

양식장에서 월 순수익 5천 이상이 통장에 매달 꽂히자, 이전과는 확연히 달라졌다. 통장을 열어볼 때마다 늘어난 잔액이 눈에 들어오면, 세상이 내 손안에 있는 것처럼 느껴졌다.

포르쉐 매장으로 향했다. 브랜뉴 911 터보 S를 직접 눈으로 보고, 손으로 만지며, 마음속에 품었던 꿈이 현실이 되는 순간이었다. 판매원이 차 문을 열어주며 말했다. "이 모델은 최고 속도가 시속 330km에 이르고, 0에서 100km까지 가속하는 데 2.7초밖에 걸리지 않습니다."

"정말 대단하네요. 바로 계약하겠습니다."

그렇게 두 번째 외제 차를 사들였다. 차를 몰고 나와 도로를 달리자, 세상 모든 이목이 나에게 쏠리는 것만 같았다. 이어, 유명한 스위스 시계 브랜드 롤렉스 매장을 찾았다. 매장 안에서 반짝이는 시계들을 둘러보며, 롤렉스 데이토나를 골랐다. 매니저가 시계를 내 손목에 채워주며 말했다. "이 시계는 전통적인 디자인과 최신 기술이 결합한 제품으로, 전 세계적으로 매우 인기가 높습니다." 강남의 최고급 아파트 단지도 구경하러 다녔다. 넓은 거실과 최신식 주방, 전망이 훌륭한 테

라스를 갖춘 펜트하우스를 둘러보았다. 부동산 에이전트가 설명했다.

"이 아파트는 최고의 보안 시스템과 다양한 편의시설을 자랑합니다. 여기에 사시면 하루하루가 귀족이 된 느낌일 겁니다."

그러나, 안정된 재정 상태만으로는 채워지지 않는 무언가가 있었다. 남자의 본능인 두 개의 알에서 뿜어져 나오는 테스토스테론은 나에게 새로운 목표를 찾게 했다. 나는 진정한 행복과 안락한 가정을 꿈꿨다. 그리하여 연애와 결혼 시장에 본격적으로 뛰어들기로 했다.

첫 데이트는 한적한 카페에서 이루어졌다. 나는 평소보다 신경 써서 옷을 입고, 거울 앞에서 몇 번이고 머리를 매만졌다. 설레는 마음으로 카페에 도착하자, 그녀가 환한 미소로 나를 맞이했다. 대화를 나누며 서로의 취미와 꿈, 그리고 미래에 관해 이야기했다. 그녀의 웃음소리에 나도 모르게 마음이 녹아내렸다.

"이런 자리는 오랜만이라 좀 긴장되네요," 그녀가 말했다.

나는 웃으며, "저도 그래요. 하지만 당신과 이렇게 앉아 있으니 참 좋네요."

데이트가 끝난 후, 집으로 돌아오는 길에 나는 한참 동안 그녀의 미소를 떠올렸다. 나의 초록빛 인생에 또 다른 색깔이 더해졌다는 느낌이 들었다. 연애는 내 삶에 새로운 활력을 불어넣었고, 행복은 가시적인 현실로 다가왔다. 우리는 함께 세계 곳곳을 여행하며 추억을 쌓았고, 그 순간들을 페이스북과 인스타그램에 기록으로 남겼다.

"우리 다음 여행지는 어디로 갈까?" 여자친구가 물었다. 그녀의 눈은 반짝였다.

"이번에는 이탈리아로 가보는 게 어때? 로마와 베네치아, 그리고 토스카나 지역을 둘러보면 좋을 것 같아," 내가 대답했다. "특히, 베네치아의 곤돌라를 타고 운하를 따라 여행하는 건 정말 낭만적일 거야."

며칠 후, 우리는 이탈리아행 비행기에 올랐다. 로마에 도착하자마자 콜로세움과 바티칸 도시를 방문했다. 나는 페이스북에 사진을 올리며 적었다. "로마의 역사 속에서 시간을 여행하는 기분. 콜로세움에서 로마의 영광을 느낀다."

베네치아에 도착했을 때, 우리는 운하를 따라 곤돌라를 탔다. "이곳은 정말 아름다워," 그녀가 말했다. "물 위에서 느끼는 이 평화로움, 정말 특별해." 나는 그녀의 손을 잡고 미소 지었다. "우리가 함께 있는 이 순간이 더 특별하잖아."

그날 저녁, 우리는 한 레스토랑에서 샴페인 한 잔과 함께 저녁을 즐겼다. 다음 여행지는 일본이었다. 도쿄의 화려한 도심과 교토의 고즈넉한 사찰을 방문하며 우리는 일본의 전통과 현대를 동시에 경험했다.

"여기서는 모든 것이 완벽하게 조화를 이루고 있어," 그녀가 감탄했다. "도쿄의 야경은 정말 환상적이야."

나는 그녀의 옆에서 함께 야경을 바라보며 말했다. "우리의 인생도 이렇게 완벽하게 조화를 이루면 좋겠어."

교토의 아라시야마 대나무 숲을 걷는 동안, 나는 페이스북에 글을 남겼다. "교토의 평화로운 아라시야마 대나무 숲. 자연 속에서 느끼는 고요함."

마지막으로, 우리는 프랑스 파리를 방문했다. 에펠탑 앞에서 그녀와 함께 사진을 찍으며 나는 그녀에게 말했다.

"우리의 인생도 에펠탑처럼 높고 화려할 거야. 함께 시작하자."

그녀는 내 눈을 바라보며 미소 지었다. "응. 우리, 평생 함께하자."

인스타그램에 사진을 올렸다. "에펠탑 아래에서 우리 사랑을 약속하다. 이 순간을 영원히 기억할 거야."

이렇게 우리는 여행을 하며 서로에 대한 사랑을 키워갔다. 페이스북과 인스타그램에는 황홀한 추억들이 차곡차곡 쌓였고, 그 속에서 더욱 단단한 관계를 만들어 갔다. 그토록 원하던 부를 얻고, 세상의 모든 즐거움을 누리며 보낸 세월은 어느덧 2년. 화려함 뒤에는 왠지 모를 공허함이 불쑥 튀어나와 온몸을 휘감았다.

"우리, 기부해볼까?" , "이제까지 나누지 못했던 것을 사람들과 나누고 싶어."

여자친구는 따뜻한 미소로 나를 바라보았다. "정말 좋은 생각이야. 우리가 할 수 있는 만큼, 사회에 이바지하자."

어떻게 도울까 고민하다가, 고등학교 친구에게 전화를 걸었다. "영준아, 오랜만에야. 요즘 어떻게 지내?" 오랜 친구와의 만남은 늘 그렇듯 반가웠다.

"그동안 많은 일이 있었어. 지금은 소아암 환자들을 위해 봉사하고 있어. 그 아이들을 보면서 많은 걸 느껴."

"소아암 환자들...? 어떤 일을 하게 된 거야?"

영준은 깊은 한숨을 내쉬며 말을 이어갔다. "작년에 내 조카가 소아암에 걸렸어. 다행히 치료를 잘 받고 회복 중이지만, 그때 병원에서 만난 많은 아이가 아직도 치료를 받고 있어. 그 아이들에게 조금이라도 도움을 주고 싶어서 시작하게 됐어."

주말에 우연히 병원 근처를 걷다가 소아암 환자들을 위한 기부 캠페인을 보고는 그곳에서 영준을 다시 만났다.

"영준아, 나도 아이들을 돕고 싶어. 어떻게 하면 될까?"

영준은 밝게 웃으며 나를 안내했다. "기부는 금액의 크기가 중요한 게 아니야. 마음이 중요하지. 세브란스 병원에 기부 담당자인 김 팀장이 계셔. 그분을 만나보는 게 좋을 것 같아."

다음날, 병원에 전화를 걸어 약속을 잡고, 기부금 전달을 위해 병원으로 향했다. 세브란스 병원의 담당자인 김 팀장이 나를 맞이했다. "안녕하세요, 기봉 씨. 귀한 걸음 해주셔서 감사합니다."

나는 미소를 지으며 말했다. "안녕하세요, 김 팀장님. 소아암 환자들을 위해 조금이나마 도움을 드리고 싶어서요."

병원의 로비는 조용하고 차분했다. 아이들의 웃음소리와 함께 간간이 들려오는 간호사들의 목소리로 따뜻한 공기가 피부에 와닿았다.

김 팀장은 나를 환영하며, 마저 기부 절차와 소아암 환자들에게 어떻게 도움이 될 수 있는지 상세하게 설명해주었다. 병원 관계자와 이야기를 나누던 중, 준비해 온 1억 원 기부 증서를 김 팀장에게 건네주었다. "이 기부금이 아이들에게 도움이 되었으면 좋겠습니다. 치료비뿐만 아니라 아이들이 조금이라도 더 행복한 시간을 보낼 수 있도록 사용해 주셨으면 합니다."

김 팀장은 증서를 받아들며 눈물을 글썽였다. "정말 감사드립니다, 기봉 씨. 이 기부금은 아이들의 치료와 복지에 소중히 사용하겠습니다. 아이들과 부모님들께도 큰 힘이 될 거예요."

병원 내부를 둘러보며 말했다. "사실, 저도 어려운 시절이 있었어요. 하지만 지금은 가만히 있어도 돈이 돈을 불러오는 양식장을 운영하고 있습니다. 이젠 나눌 수 있을 때 나누고 싶어요."

김 팀장은 감동한 목소리로 말했다. "기봉 씨의 이야기가 많은 사람에게 큰 용기와 희망을 줄 거예요. 정말 감사합니다."

기부 절차를 마치고 병원을 나서며 나는 마음이 뿌듯했다. 돈이 단순히 숫자가 아닌, 누군가의 삶을 바꾸는 도구가 될 수 있다는 것을 실감했다. 바다에서 배운 인내와 끈기, 그리고 투자에서 얻은 성공이 나에게 이런 기회를 주었다는 생각에 마음이 따뜻해졌다.

그 후로도 우리는 꾸준히 기부와 봉사를 이어갔다. 인터넷을 통해 다양한 단체와 기관을 찾아보며, 도움이 필요한 곳에 손을 내밀었다. 매달 일정 금액을 기부하고, 시간을 내어 봉사 활동에도 참여했다. 그리고 내가 진정으로 하고 싶은 일이 무엇인지 고민해보니, 히키코모리들을 돕는 사업체를 설립하는 아이디어가 떠올랐다. 청년들이 꿈을 잃고 힘들어하며 집안에 처박혀 사는 모습은 예전의 나의 모습인 어항 속 물고기와 상당히 닮아 있었다. 자산관리사에게 연락 후, 예금에서 일부 돈을 빼서 히키코모리들을 지원하는 사업체를 운영하기로 계획했다.

일본에서 활동하는 히키코모리 지원 단체를 참고하여, 한국에서도 유사한 프로그램을 기획했다. 이 단체는 주로 온라인 상담, 직업 교육, 사회적 재활 프로그램 등을 제공하며, 많은 청년이 다시 사회로 나올 수 있도록 도와주고 있었다.

사업체의 이름은 '어부의 마음'으로 지었다. 이곳에서 그들이 다시 세상과 연결될 수 있도록 마음을 치유하고, 사회에 적응하도록 도왔다. 이뿐만 아니라 여러 기부와 봉사를 통해 많은 사람을 만났고, 그들의 이야기를 들으며, 나 역시 한층 더 성장했다. 돈으로 누군가의 삶을 바꿀 수 있다는 사실에 너무나 감사했다. 일주일 뒤 나는 2년간 만난 여자친구와의 새로운 변곡점을 만들기 위해 부산의 한 해변을 찾았다.

부산의 광안리 해변을 따라 늘어선 화려한 네온사인과 반짝이는 가로등은 밤하늘 아래 수놓은 보석처럼 빛났다. 다리 위로 쏟아지는 조명은 초록빛 색감을 둘러, 해변을 감쌌다. 밤하늘과 바다가 하나로 연결하는 모습은 내가 꿈꾸던 모습과 같았다.

그 끝없는 수평선은 마치 인생의 무한한 가능성을 상징하는 듯하면서도, 바다와 맞닿은 이곳은 나에게 큰 변화를 주었던 장소였다. 대학입학 후 이곳에서 나는 바다와 처음으로 마주했다. 그때는 무한한 두려움과 기대감이 교차하는 순간이었다. 바다는 나에게 무한한 기회를 의미했다. 바다에서의 첫 참치잡이는 나에게 삶의 진정한 의미를 깨닫게 해주었다. 그것은 단순히 물고기를 잡는 행위가 아니라, 인내와 노력, 그리고 운이 함께 어우러진 결과였다. 선장님과 만남도 인생의 변곡점이었다. 그는 늘 말했다. "인생은 운이 많은 것을 좌지우지한다. 하지만 운은 준비된 자에게만 오니, 때를 기다려라."

인생은 그래프처럼, 오르락내리락하는 순간들이 반복되었다. 바다에서의 경험은 나에게 삶의 본질을 이해하게 했다. 코인 시장에서의 낚시도 비슷했다. 높은 변동성과 예측 불가능한 시장 상황 속에서 나는 끊임없이 분석하고 준비하며 기회를 잡았다. 그것은 마치 바다에서의 낚시와도 같았고, 마침내 '만선'을 이루어 육지로 올 수 있었다.

그녀에게 프러포즈할 장소로 이 아름다운 광안리 해변을 선택했다. 대교가 가장 잘 보이는 해변 중앙의 작은 언덕, 그곳은 바다를 배경으로 한쪽에는 도시의 화려한 불빛이, 다른 한쪽에는 광안대교의 빛이 어우러진 완벽한 장소였다. 그곳에서 그녀를 기다리며 특별한 순간을 준비했다. 먼저, 작고 아담한 피크닉 매트를 깔았다. 매트 위에는 작은 꽃다발과 함께 그녀가 좋아하는 위스키 한 병을 준비했다. 유리잔 두 개를 나란히 놓고, 그 옆에는 내가 직접 쓴 손편지가 있었다. 편지에는 우리가 함께한 순간들과 그녀를 향한 고마움을 담아냈다.

20분 정도 지나, 그녀가 모래사장에 발자국을 남기며 이곳으로 도착했다. 그녀의 손을 잡고 매트 위에 앉아, 편지를 읽어주었다. 바다에서는 잔잔한 파도 소리가 들렸고, 멀리서 들리는 뱃고동 소리가 우리를 축복해주는 듯했다. 편지를 다 읽고 난 후, 그녀의 눈을 바라보며 말을 이었다.

"사랑하는 그대, 이곳은 내 인생의 그래프에서 중요한 반등 점이었어. 바다와의 만남, 참치잡이, 선장님과의 인연, 그리고 코인 시장에서의 경험들. 오늘 이 순간, 그대와 함께 새로운 반등 점을 만들고 싶어. 나와 결혼해줄래?"

그녀의 눈에는 눈물이 맺혔고, 나는 그녀의 손을 꼭 잡으며 떨리는 마음으로 대답을 기다렸다. 그녀의 대답은 나의 인생에서 가장 달콤한 대답이었다. "나도 당신과 함께 새로운 변곡점을 만들고 싶어요."
그 순간 광안대교의 불빛은 더욱 찬란하게 빛났고, 우리는 서로의 품에 안긴 채 미래를 약속했다.

결혼식 날 아침, 맑은 하늘 아래 따뜻한 햇볕이 우리의 특별한 날을 축복하는 듯 비치고 있었다. 신랑 대기실에서 나는 거울을 보며 턱시도의 매무시를 한 번 더 점검했다. 긴장감이 나를 감싸고 있었지만, 동시에 흥분과 설렘이 교차했다.

문이 살며시 열리고, 어머니가 들어오셨다. 그녀는 눈가에 눈물이 맺힌 채 나를 바라보며 미소 지었다. "우리 기봉이, 이렇게 멋진 날이 오다니.... 엄마는 정말 행복하구나."

나도 어머니를 꼭 안아드리며 속삭였다. "엄마, 제가 이렇게 성공할 수 있었던 건 엄마 덕분이에요. 오늘도 엄마가 계셔서 정말 행복해요."

어머니는 나를 똑바로 바라보며 고개를 끄덕이셨다. "기봉아, 너는 언제나 자랑스러운 아들이야. 너와 내가 선택한 여인이 함께 행복하게 살기를 진심으로 바란다."

결혼식장의 문이 열리며 결혼행진곡이 울려 퍼졌다. 나는 심호흡을 한 번 하고, 힘찬 발걸음으로 주례사 앞으로 내디뎠다. 신부 입장이 시작되자, 눈부신 드레스를 입은 그녀가 아버지의 팔짱을 끼고 천천히 걸어 들어왔다. 환한 미소와 사랑스러운 눈빛을 두른 그녀를 보자. 내 심장은 쿵쿵 뛰었다. 이 순간을 얼마나 기다렸던가. 우리는 서로의 손을 잡고 서약을 나눴다. "사랑하는 그대, 언제나 당신을 지키고 사랑하겠습니다. 기쁠 때나 슬플 때나, 건강할 때나 아플 때나, 언제나 당신 곁에 있겠습니다." 그녀의 눈에서 눈물이 맺히는 것을 보고, 나 또한 눈물이 차올랐다. 주례사의 말이 끝나고, 우리는 반지를 교환했다. 그녀의 손가락에 반지를 끼워주며, 나는 우리가 함께 걸어갈 미래를 상상했다. 안정된 가정, 웃음이 가득한 일상, 그리고 무엇보다도 서로를 위한 끝없는 사랑. 결혼식 후, 우리는 가족들과 친구들로 가득 찬 연회장에서 축하를 받았다.

어머니는 나를 바라보며 흐뭇하게 웃으셨다. "우리 아들, 이렇게 행복해 보여서 엄마는 더 바랄 게 없다."

나는 어머니의 손을 꼭 잡으며 답했다. "엄마, 이제부터 더 행복하게 살 거예요. 우리 모두 함께."

결혼식이 끝난 후, 해외여행이 질린 우리는 제주도로 신혼여행을 떠났다. 때로는 바다 위의 요트에서, 때로는 눈부신 해변에서 그녀와 키스를 나누며, 속삭였다. "우리 이렇게 행복할 수 있게 되어 정말 감사해. 앞으로도 언제나 함께하자."

그녀는 내 손을 잡으며 따뜻하게 웃었다. "그래, 우리 함께라면 어떤 것도 두렵지 않아. 사랑해."

자산 200억을 보유한 나는 어머니와도 자주 만날 수 있게 되었고, 내 인생 그래프는 V자로 강한 반등 후 천장을 찍었다. 그리고 현재는 안정적인 보합세를 유지하고 있다.

인생은 정말 새옹지마다. 수많은 굴곡을 겪으며 느끼는 것이지만, 바로 앞도 내다볼 수 없는 것이 인생의 본질임을 깨닫게 된다. 모든 계획과 기대는 때로는 예상치 못한 사건들에 의해 뒤엉키기도 하고, 그러한 사건들이 오히려 새로운 기회를 열어주기도 한다. 과거의 나는 예측할 수 없는 미래에 대한 두려움으로 가득 차 있었다. 어릴 적 부모님의 이혼과 가난은 나에게 큰 시련이었지만, 그 시련들이 결국 나를 더욱 강하게 만들어 주었다. 참치잡이 배에서의 고된 시간, 그리고 그 후에 찾아온 경제적 성공은 인생의 변덕스러움을 여실히 보여주었다. 내가 계획한 대로만 이루어졌다면, 지금의 나는 존재하지 않았을지도 모른다.

성공한 사람들이 늘 하는 말, "운이 좋았어요"라는 말은 겸손의 표현일 뿐만 아니라, 실제로도 맞는 말임을 실감하게 되었다. 내가 경험한 모든 성공의 순간에는 내 노력뿐만 아니라, 수많은 변수와 우연이 작용했음을 부정할 수 없다. 만선 하던 날은 잊을 수 없는 기억이다. 그날의 태양은 특별히 더 밝게 빛났고, 파도는 유난히도 잔잔했다. 인생의 그래프가 최고점에 이르렀던 그 순간.

살다 보면 누구든지 좋은 일은 꼭 찾아오게 마련이다. 그때까지 버티며 살아보는 것도 나쁘지 않다고 생각했다. 어려운 시절에도 포기하지 않고 버텨왔던 내 삶이 그 증거였다. 사람들은 종종 1만 시간 법칙, 작은 습관이 큰 성공을 만든다는 말을 하지만, 나는 내 나름의 철학과 기준을 세우는 것이 더 중요하다고 믿었다. 나의 철학은 단순하다. 기회가 오기 전까지 꾸준히 준비하고, 기회가 왔을 때 그 기회를 잡을 수 있는 준비된 사람이 되는 것. 큰 파도가 와서 배가 난파되더라도, 준비된 사람에게는 기적이 찾아올 수 있다.

<빈 낚싯대>

다시 큰 파도가 와서 배가 난파되더라도, 다시 일어설 힘은 내 안에 있다. 그 힘은 나의 철학과 기준에서 나온다. 내가 세운 철학과 기준을 지키는 한, 나는 어떤 어려움도 이겨낼 수 있다.

"언제나 만선이 되는 날만 있는 건 아니야," 선장님은 항상 말씀하셨다. "그래서 만선의 날이 더 값진 거야. 중요한 건 그날을 위해 준비하고 버티는 거지." 그 말은 내 인생의 좌우명이 되었다.

고등학교 친구의 결혼식장. 웅장한 예식장에 가득 찬 사람들 사이에서 나는 축의금 봉투를 들고 있었다. 100만 원이라는 금액은 이제 나에게 큰 부담이 되지 않았다. 과거의 나는 상상도 할 수 없는 금액이었지만, 이제는 그저 한 장의 종이일 뿐이었다. 봉투를 축의금 함에 넣으며, 나는 잠시 멈춰 서서 생각했다.

'이렇게 살아도 되나?'라는 의문이 문득 떠올랐다. 나는 불확실한 바다 위에서 고된 노동으로 돈을 벌던 시절을 떠올렸다. 날마다 생존을 위한 싸움이었던 그때와 달리, 지금의 나는 안정적인 삶을 누리고 있었다. 금붕어처럼 좁은 어항에서 허덕이던 시절을 지나, 이제는 넓은 바다에서 자유롭게 헤엄치는 듯한 기분이었다.

"부자는 행복한가?"라는 질문이 내 머릿속을 맴돌았다. 사람들은 종종 나에게 묻곤 했다. "부자가 되면 정말 행복하냐고." 그때마다 나는 애매한 미소를 지으며 대답했다.

"글쎄, 여러분도 나와 같은 경험을 해보고 직접 느껴보세요." 그 말은 일종의 아이러니였다. 돈이 주는 안정감과 여유로움은 부정할 수 없었다. 그리고 직접 겪어보지 않고서는 이해할 수 없을 것이다. 나는 내 경험을 통해 얻은 깨달음을 전하고 싶었다.

그러나, 돈은 많은 것을 해결해주지만, 모든 것을 해결해주지는 않는다. 부자가 되면 행복해질 것이라는 믿음은 일종의 환상일지도 모른다. 다시 묻겠다.

"그렇다면, 부자는 행복한가?" 이 질문의 답은 사람마다 다를 것이다.

결혼식장이 붐비는 가운데, 나는 혼자 걸어 나왔다. 햇살이 눈부시게 내리쬐었다. 친구들의 웃음소리와 축하 인사들이 뒤섞인 예식장을 뒤로하고, 주차장 한편에 나란히 서 있는 차 중 유독 눈에 띄는 람보르기니가 보였다. 길고 유려한 곡선의 차체, 빛을 반사하며 번쩍이는 차의 표면, 그 모든 것이 내가 걸어온 길의 한 상징처럼 느껴졌다.

고등학교 시절, 그때는 이곳에 서서 이런 차를 소유하게 될 거라고 상상조차 하지 못했었다. 람보르기니의 문을 열고 운전석에 앉았다. 부드러운 가죽 시트가 몸을 감싸 안는 순간, 나는 결혼식장에서 나왔던 생각들을 다시 곱씹었다. 사람들은 내가 이 차를 타고 다니는 모습을 보면, 당연히 행복하다고 생각할 것이다. 그러나 그 이면에 숨겨진 무게를 아는 이는 많지 않다.

"확실한 건, 부자의 그릇은 정해져 있다. 물고기에서 어부, 그리고 다음으로 어떤 양식장을 꾸릴지는 여러분이 담는 운의 크기까지는 바꿀 수 있으니, 인생을 포기해서는 안 된다."
시동을 걸고, 엔진이 울리는 소리에 몸을 맡겼다. 그 소리는 나의 과거와 현재, 그리고 미래를 잇는 고리가 되어 주는 듯했다.

인생은 누구에게나 쉽지 않다. 나 또한 많은 고난과 역경을 겪었지만, 포기하지 않았다. 그 결과, 이 자리까지 올 수 있었다. 얼음은 상온이 되어야만 녹아내린다. -50도에서 -1도까지 전혀 변화가 없지만, 온도가 0도에 이르면 비로소 녹기 시작한다. 이 변화는 아주 천천히, 거의 눈에 띄지 않게 일어난다. 이 과정은 단순한 물리적 변화가 아니다. 17세부터 32세까지의 내 삶은 마치 영하의 온도에서 얼어붙은 상태와 같다. 변화가 보이지 않고, 나아지지 않는 것처럼 느껴질 때가 많았다.

이와 마찬가지로 현재 대한민국은 한류 열풍으로 전 세계적인 주목을 받고 있다. KPOP, 김밥과 라면, 독특한 카페 문화, 스마트 도시라 불리는 지하철 시스템, 쾌적한 도시 환경, 그리고 유럽, 특히 폴란드로의 대거 수출 중인 방산산업 등은 대한민국의 혁신과 매력을 잘 보여준다. 그러나 이면에는 외국인들이 쉽게 보지 못하는 여러 사회적, 경제적 문제가 도사리고 있다. 국가 GDP 대비 부채비율은 높은 편이며, 가계 부채 역시 심각한 수준에 이르러 물고기를 낚지 못해 폐업에 이른 지경이다. 어부가 밤낮으로 애써도 물고기들은 어딘가 숨어있는 것처럼.

남녀 갈등과 세계 최저 출산율도 문제가 많다. 동해에서 거대한 폭풍이 몰아치며 낚싯줄을 끊어버린 듯하다. 가족과 세대 갈등은 국민연금 문제로 점점 더 깊어지고 있다. 서해에서 조류에 휩쓸려 물고기들이 모두 흩어지는 것처럼, 국민의 불안감을 증폭시키고 있다. 또한, 정치적 갈등도 만만치 않다. 좌파와 우파의 싸움은 국민의 사정을 외면한 채, 그들만의 리그에 몰두하는 모습이다. 이는 남해에서 낚싯배들이 서로 싸우며 어장을 차지하려는 모습과도 같다.

하지만, 대한민국의 어부들은 여전히 희망을 잃지 않는다. 비록 지금은 고기 잡기가 어렵고, 양식장을 거느리는 사람은 많지 않더라도 어떻게든 물고기를 낚아낼 방법을 찾아 나갈 것이다.

나라를 떠나 사회 그리고 개인에게도 언젠가는 강렬한 태양 빛이 비치든, 난로를 짊어진 노인이 우연히 찾아올 수 있다. 그리고 온도가 점차 올라갈 때를 맞이한다. 그렇다면, 누구든지 만선을 할 수 있고, 나와 같이 거대 양식장을 거느린 어부가 될 수 있다. 어떤 시련도 영원하지 않으며, 견뎌내고 버텨낼 때 우리는 새로운 형태로 변모한다.

변화의 순간이 정말로 찾아온다. 자신의 판단을 믿어라! 그리고 무쇠의 뿔처럼 나아가라! 그것이 바로 인생을 살아가는 어부의 방식이다.

예식장에서 울려 퍼지는 음악과 사람들의 웃음소리가 희미해질 때까지 차를 몰았다. 창문을 내리고 바람을 맞으며, 양식장을 들여다본다. 운이 좋았다고 말하는 사람들의 겸손한 말 뒤에는, 노력보다는 인내가 깔려있다고 말하고 싶다. 인생은 꼭 낚시처럼 결과를 장담할 수 없는 법이다. 그러나, 빈 낚싯대를 드리우면 헛물만 켜는 세상이다. 우리는 낚싯대를 드리우는 순간마다 새로운 가능성을 만난다. 실패할 수도 있고, 성공할 수도 있지만, 그 과정에서 우리는 성장하고, 운명과 마주하게 된다. 낚싯대를 드리울 때마다 느껴지는 긴장감, 그 순간의 집중은 인생의 다른 모든 도전과도 닮았다. 가끔은 아무것도 잡히지 않아도, 그 헛물을 켜는 순간조차도 의미가 있다. 자신의 한계와 마주하고, 새로운 가능성을 발견하게 된다.

어느 날, 산의 정상에서 바람을 맞으며 나는 생각했다. "꼭 낚시가 아니더라도, 사람은 무언가 도전하면 운이 따를 수도 있다." 도전은 그 자체로 우리를 더 나은 사람으로 만들어 주는 과정이었다. 도전이 주는 불확실성 속에서 우리는 더 강해지고, 더 지혜로워진다.

인생은 예측할 수 없는 파도와 같지만, 우리는 그 파도 위에서 균형을 잡으며 나아가야 한다. 빈 낚싯대를 드리우며 헛물만 켠다. 그러니, 우리는 새로운 기회를 만날 수 있다는 것을 잊지 말아야 한다. 가끔 바다로 낚시하러 가곤 했지만, 이제는 산을 찾는 나 자신을 발견한다. 산을 오르는 것은 내게 또 다른 도전이자, 낚시와 같이 인내가 필요하다. 등산로를 따라 걷는 발걸음 하나하나가 남달랐다. 마침내, 정상에 올랐다. 산은 참으로 고요하고 웅장했다. 그곳에서는 바다에서의 치열한 경쟁과는 다른, 더 깊은 성찰과 평온함을 찾을 수 있었다.

김 첨지는 설렁탕 한 그릇을 사 왔지만, 아내가 먹지 못했다. 그와는 달리, 내 운수 좋은 날은 초록 초록한 해초 샐러드와 싱싱한 회로 차려진 만찬이 이어졌다. 해초 샐러드는 어제의 고생과 오늘의 안락함, 그리고 내일의 희망이 모두 담긴 풍성한 삶의 맛이었다. 오전 11시 녹색 빛을 두르고 있는 계룡산 정상에서 외쳤다.

"인생은 비극 같아도 돌이켜보면 참으로 희극이구나!"